民族と国家の5000年史

文明の盛衰と戦略的思考がわかる

八幡和郎
Kazuo Yawata

育鵬社

本書は2016年12月発行の扶桑社新書『世界と日本がわかる 最強の世界史』の増補改題版です。

はじめに～世界に通用する日本人になるための世界史

世界の人々と歴史について話すとき、羨ましいのは、ごく普通の市民まで、自分の国や民族の立場を反映した教育を受け、それに基づいた歴史観を語り、国益を擁護できることです。

ところが、日本人は分野別の専門家の学説を寄せ集めた教育しか受けてないので、知識はありますが、日本人として説得力をもって歴史を語れず、国民としても個人としても損をしています。

『民族と国家の5000年史～文明の盛衰と戦略的思考がわかる』と題する本書の狙いは、一般の読者の方はもちろん、政治家や外交官・ジャーナリストに対しても、日本人として世界と日本の歴史をどのように理解し、併せてさまざまな問題について世界の人々にどう主張していくかを考える際の骨組みを提供することにあります。

したがって、日本の国益も十分に考えていますが、同時に、欧米の人にも、アジアの人にも説得力のある論理構成を心がけました。戦略として、国益や民族の誇りを擁護できる歴史観とは、独りよがりな国粋主義的なものではありません。たとえば、欧米人から「修正主義」のレッテルを貼られたら、かえって国益のために有害ですし、個人としても悪い評価を受けます。

もちろん、中国や韓国の人々などが、容易に納得してくれるとは思いません。彼らとの対話も大事ですが、とりあえずは、欧米などの人々の理解を得る歴史観を確立し、間接的に中韓の人々にも一定の理解をしてもらうことが現実的だと思っています。

本書は、世界の歴史をまんべんなく網羅的に知ることでなく、現代の世界を理解するために必要な歴史知識を得ようというものです。ですから、国にも時代にもメリハリをつけ、また、最近の出来事に歴史的背景をからませながらですが、多くのページを割いています。

その一方で、世界中のどの地域や時代についても、世界史の流れの中でどういう意味があったかは必ず触れて空白地帯はないように心がけています。

さらに、日本人になじみはないとか難解でも、重要なテーマについては、明快に分かりやすく解説しましたので、これまで理解できずもやもやしていた話が、目から鱗が落ちるといった感じで解決することも多いと思います。

ウクライナとロシアの淵源、ユダヤ人とは何か、チベット・ウイグルは中国に侵略されたのか、イスラム教がいまも勢力拡大する理由、中世ヨーロッパとキリスト教、インドの歴史、大航海時代の始まりの隠された原因、奴隷貿易のどこがとくにひどかったのか、イギリスの王朝交代、米国と中南米の関係、韓国の特異な歴史観、アメリカ主導のグローバリズムの光と影、中国が世界一の大国になる悪夢、21世紀における科学技術や家族観の変化と人類崩壊の危機なども日本人の苦手な分野と思うので、とくに力を入れて説明しています。

民族と国家の5000年史 ✣ 目次

第三章 ❖ 仏教・キリスト教・イスラム教

第四章 ❖ 民族移動・宗教政治・商人の活躍

第五章 ❖ 成吉思汗・ルネサンス・オスマン帝国

第六章 大航海時代・アメリカ・宗教改革

第七章 ウェストファリア体制・絶対王制・大清帝国

第八章 アメリカ独立・フランス革命・大英帝国

第九章 世界大戦・社会主義・ファシズム

第十章 国家独立・市場経済・グローバリズム

装幀――――村橋雅之

世界史年表

年代	出来事	主に収録する章
5万年前	アフリカから現生人類の祖先出発	1章
前3000まで	シュメールの都市国家	1章
前2000まで	ピラミッド建設される、殷王朝	1章
前1500まで	インダス文明・黄河文明。周王朝	1章
前1200まで	ハンムラビ法典。ツタンカーメン王。トロヤ滅亡	1章
前1000ごろ	ダビデ王。アルファベット。アーリア人インドに	1章
前9世紀	カルタゴ建設	1章
前8世紀	アッシリア全盛。ローマ建国。春秋時代	2章
前7世紀	アッシリア滅亡。新バビロン全盛	2章
前6世紀	ペルシャ建国。バビロン捕囚終了。釈迦	2章
前5世紀	ペルシャ戦争。アテナイ全盛。孔子	2章
前4世紀	ソクラテス。アレクサンドロス大王遠征	2章
前3世紀	ハンニバル。アショーカ王。秦・漢王朝	2章
前2世紀	カルタゴ・ギリシャがローマに。漢武帝	2章
前1世紀	カエサル・クレオパトラ。アウグストゥス	2章
1世紀	キリストの布教。ポンペイ埋没。後漢の成立	2章、3章
2世紀	五賢帝時代。大乗仏教	2章、3章
3世紀	キリスト教弾圧。ガンダーラ美術。中国三国時代	2章、3章
4世紀	キリスト教公認。ローマ東西分裂。グプタ朝	2章、3章
5世紀	西ローマ滅亡。フランク王国。中国南北朝時代	2章、3章
6世紀	ローマ法大全。ササン朝ペルシャ全盛。隋の統一	2章、3章
7世紀	イスラム教の誕生とウマイア朝。唐の全盛	3章
8世紀	イスラムの欧州侵入。カロリング朝。アッバース朝	3章、4章
9世紀	フランク王国分裂。イスラム帝国全盛。晩唐時代	4章
10世紀	カペー朝。神聖ローマ帝国。唐滅亡北宋建国	4章
11世紀	ノルマン征服。十字軍。セルジュークトルコ	4章
12世紀	ポルトガル建国。ゴシック。サラディン。南宋成立	4章
13世紀	マグナカルタ。ハンザ同盟。チンギス・ハン	5章
14世紀	百年戦争。東方見聞録。チムール。明成立	5章、6章
15世紀	米大陸発見。ルネサンス。東ローマ滅亡。永楽帝	5章、6章
16世紀	世界一周。宗教改革。レパントの海戦。日本天下統一	6章
17世紀	30年戦争。ルイ14世。ムガール全盛。オランダ全盛	7章
18世紀	米国独立。フランス革命。インドで英国優勢。清全盛	7章、8章
19世紀	ナポレオン戦争。独伊統一。植民地化。明治維新	8章、9章
20世紀	世界大戦。東西冷戦。EU統合。アメリカ全盛	9章、10章
21世紀	イスラムとの対立。中国の強大化。情報化進展	10章

第一章

人類・神話・民族とは何だろう

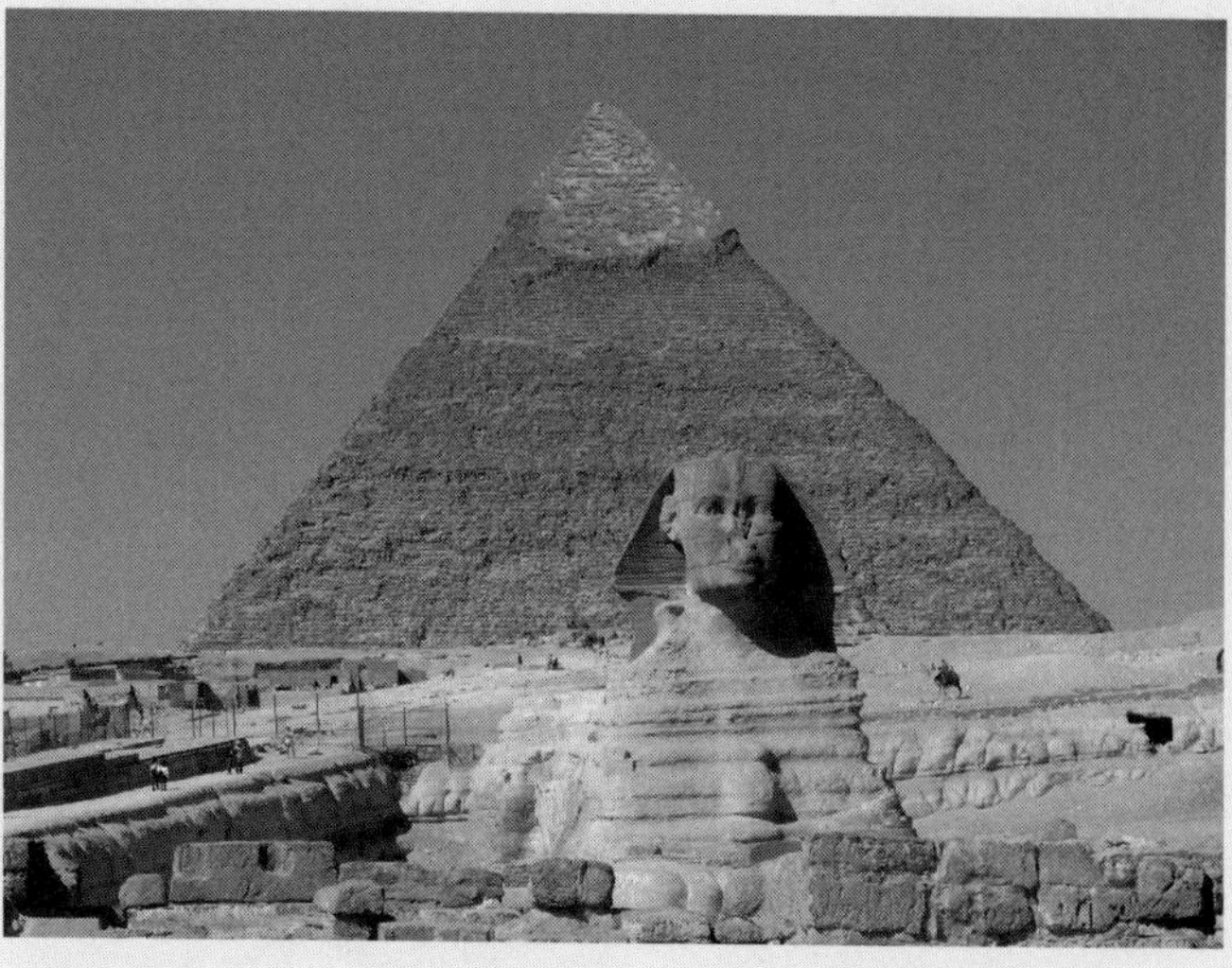

ギザのピラミッド（エジプト）

1―全人類は共通の祖先を持っているのか

人類史上、最大の謎は、全人類は共通の祖先を持つのかどうかです。古代の人々は、どちらかといえば、民族ごとに先祖伝説を持っていることが多かったようです。ところが、キリスト教やイスラム教など一神教が盛んになると、アダムとイブのような共通の先祖から出たのであって、人類皆兄弟という考えになりました。

近代になると、考古学や人類学が盛んになって、人類もほかの動物と同じように進化してきたということが明らかになりました。ジャワ原人とか北京原人が世界最古の人類と考えられ、中国人は北京原人が先祖であることを誇りに思いました。

しかし、ＤＮＡなどの分析ができるようになると、原人たちは子孫を残すことなく絶滅し、現代の人類は、ほとんどすべて数万年ほど前にアフリカからアラビア半島に移った数百人の集団を共通の先祖として持っているといわれるようになりました。これで議論は決着と思われたのですが、最近は、ネアンデルタール人も混血というかたちでＤＮＡを残しているのではないかと言われ始めています。

人類学のスキルは日進月歩です。いまでも、女系をたどるミトコンドリアに着目したり、男系で伝えられるＹ染色体を調べたりで少しずつ違う結論が出ます。

先祖の構成割合は男性と女性で明らかな違いがあります。たとえばアメリカでは、男性主人が女性奴隷に子供を産ませることは多く、逆はほとんどありませんでした。

また、多くの子孫を残す強いＤＮＡもありますし、ある病気が流行するとか、寒冷化するとかすると、それに弱いＤＮＡの民族の子孫が減ります。

日本列島に外からやってきた人の比率と、現在の日本人の血のなかに占めている割合も非常に違うはずです。また、血統、言語、宗教、神話などもそれぞれまったく違うルーツを持つことも多いのです。エジプトでは古代エジプトの言葉は廃《すた》れアラブ語を話してますが、血統的には同じ人々が住んでますし、古代ユダヤ人と近代ユダヤ人は血縁関係は希薄です。

日本語は文法は北方系で単語は南方系で成立してますし、稲作の伝来に着目すれば日本人の多数派は、始皇帝や孔子の時代には中国の長江流域にいたと見るべきです。実際、古代の中国人は、日本人は江南の人々と似ているとして、周王家の長男だが江南に移住した呉の太伯の子孫と考えていました。

これから、人類学が根本的に違う方向に行くとは思いませんが、半世紀もすれば、常識もだいぶ変わっているでしょう。

2 — 世界四大文明のなかでいちばん古いのはメソポタミア文明

人類最古の文明としてエジプト、メソポタミア、インダス、黄河という四大文明が挙げられますが、なかでもメソポタミアが先行していました。

メソポタミアでは紀元前4200年ごろから灌漑《かんがい》農業が行われていました。前3500年ごろにはシュメール（イラクの南部）人の都市国家ができはじめ、楔形《くさびがた》文字や青銅器をもつ文明が栄えました。

エジプト文明は、シュメール文明の影響を受けて成立しましたが、前2700年から3000年くらいには、早くも統一王国が成立し、外部から遮断されたナイル谷の地形のおかげで安定した繁栄を続けました。ピラミッドの建設からツタンカーメン王までと、そこからクレオパトラまでは、それぞれ1300年も離れているのです。

インダス文明はもっと遅れて前2300年ごろの成立です。モヘンジョダロ（パキスタン南東部）などにレベルの高い都市文明が栄えましたが、文字がいまもって解読されていませんし、滅びた原因も不明です。

黄河文明では、前2000年より前に夏《か》王朝が成立したらしく、中国4000年というのはだいたい正しい数字だと思います。ただし、習近平は中国5000年というのを好むようですが、これは水増しです。

したがって、世界最古の文明は、メソポタミア（河川の間という意味）のシュメール文明です。このチグリス川とユーフラテス川の流域や隣のシリアは、現代でも諸民族が入り乱れて争う地として世界の注目を集め、ＩＳＩＬ（イスラム国）による古代遺跡の破壊も話題になりました。

この地域の共通語に着目しても、シュメール語、アッカド語、そしてキリストも話していたアラム語、アラブ語と変遷してきました。このうちアッカド語以降はいずれも現代のアラブ語が属するセブ語系です。

バグダッド南東数十キロのユーフラテス川のほとりに営まれたバビロン第1王朝は、第6代のハンムラビ王（在位前1792～前1750年）のときに、現在のイラクの中部と南部を統一し、アッカド語による法典の整備を進めました。アッカド語は、バビロンやアッシリアで使われた言語です。ハンムラビ法典の中身は、「目には目を」という「同罪刑法」が原則です。今日的に見れば残虐な刑罰も多いし理不尽なこともありますが、罪刑法定主義、公平性の原則、弱者保護など近代的な「法の支配」という思想の萌芽がハンムラビ法典には見られ、ハンムラビ王は世界史における最初の偉大な王というべき人物です。

ルーブル美術館に所蔵されている黒い玄武岩に刻まれたハンムラビ法典の石碑は、１９０1年にイラン西部のスーサで発見され、碑文のほかに、ハンムラビ王が太陽と正義の神にかしずいている姿も刻まれています。

アレクサンドロス大王（在位前336〜前323年）がやってくるまで、ハンムラビ王の遺産は中東の法規範として1000年ものあいだ尊重され続けました。

3―旧約聖書によってかなりわかる文明の始まり

人類文明にとって揺籃《ようらん》の地であるメソポタミアの複雑な歴史を理解するうえで、旧約聖書はたいへんに有用です。複雑に入り組んだ諸民族の歴史を、ユダヤ人という立場から整理して理解できます。歴史や宗教に興味がある人なら予備知識もあります。

ユダヤ人の歴史を知る上で、まず、必要なのは、「ヘブライ」、「ユダヤ」、「イスラエル」がそれぞれどのように違うのかを理解することですが、普通には、「ヘブライ語」、「ユダヤ人」、「イスラエル国家」というように使い分けられています。

アブラハムは、ユダヤ人たちの先祖です。紀元前3000年より前にシュメールのウルから出て、トルコ南東部を経てカナン（イスラエル）に移住したとされています。

その後、ユダヤ人たちは、エジプトに移されましたが、紀元前13世紀に、モーセに率いられて帰還し、イスラエルが建国されました。紀元前10世紀ごろにユダ族のダビデが統一してエルサレムに都を置き、その子のソロモンのときに全盛期を迎えました。

やがて、北のイスラエル王国と南のユダの王国に分かれ、イスラエルは紀元前732年にアッシリアに、ユダは新バビロニアに紀元前587年に滅ぼされて、ユダヤ人上流階級はバビロンに捕囚されました。

紀元前539年にアケメネス朝ペルシャのキュロス2世（在位前559～前529年）が新バビロニアを滅ぼしたので、ユダヤ人は解放され帰還し、ペルシャ帝国の庇護のもとでエルサレムの神殿も再建されました。ユダヤ教が確立されたのもこのころです。

アケメネス朝ペルシャが紀元前330年にアレクサンドロス大王に滅ぼされると、パレスチナは、いずれも大王の部下だった将軍が建てたエジプトのプトレマイオス朝（首都アレクサンドリア）とシリア方面のセレウコス朝（首都アンティオキア）との係争の地になります。

その混乱のなかユダ・マカベウス（表彰式で使われる「見よ勇者は帰る」で知られるヘンデルの「オラトリオ」の主人公）の反乱で前2世紀に独立し、紀元前37年にはローマ帝国の支援を受けたヘロデ大王（在位前37～前4年）が、エルサレムに壮麗な神殿を建設しました。

ローマによってセレウコス朝が滅亡したのは紀元前63年、カエサルの後継者となったアウグストゥス（在位前27～14年）が女王クレオパトラ（前69～前30年）のプトレマイオス朝を滅ぼしたのは紀元前30年のことです。

ヘロデ王が死んだ年に生まれたのがイエス・キリスト（前4～30年）です。イエスが活躍した時代は、ローマによる直接支配への移行期でした。

4 エジプトの世界最古の統一王国はナイル川の贈り物

メソポタミアではシュメールのような都市国家から始まり、やがてその連合を束ねる王者が登場したのですが、エジプトでは「ファラオまずありき」でした。そのファラオを中心に王国としてまとまった国の仕組みと一貫性がある文化が、長く栄えたエジプトの特色です。

このような統一王国が成立したのは、ナイル渓谷で上下流の争いなく農業を行うためには、統一的な権力の存在が不可欠だったからです。下流のデルタ地帯と、上流の渓谷を統一した王朝が成立したのは、前3100年ごろです。

エジプトの国土の東西は砂漠で、北は地中海、南は深い峡谷です。もっとも外敵が心配なアジアへの通路は紅海とアカバ湾、シナイ半島の砂漠によって守られていました。こういう要害の地ですので、ナイル川流域のいくつかの要衝を押さえさえすれば統一は容易に保たれ、外敵からも安全でした。

エジプトでは、クレオパトラが最後の女王であるプトレマイオス朝時代の歴史家が、国家統一から、アケメネス朝ペルシャによって征服されるまでを整理して、31の王朝があったと記しています。そのうち、とくに繁栄した、第3王朝から第6王朝までを古王国、第11と第12王朝を中王国、第18から20王朝までを新王国と特別に呼ぶのが慣習です。新王国がいちばん新しいというわけではありません。

ギザの巨大ピラミッドが古王国時代で、クフ王（在位前2589～前2566年）のピラミッドは147メートルあります。1311年にイングランドでリンカーンの大聖堂が建てられるまで3000年以上も世界でもっとも高い建物でした。

中王国時代になると、アフリカ東海岸への道が開かれて、黒檀《こくたん》・香料・象牙などエキゾティックな産物がもたらされました。このころ、首都は下エジプトのメンフィス（カイロ南方）から上エジプトのテーベ（ルクソール近郊）に移されました。

アジアから鉄製の武器とともにやって来たヒクソス人の侵略を受け混乱しましたが、そのあと誕生したのが新王国です。第18王朝ではツタンカーメン王（在位前1333～前1324年）や、一神教に統一を試みたアメンホテプ4世（在位前1351～前1334年）が活躍しました。

ラメセス2世（在位前1290～前1224年）は、このうえなく巧みな自己演出家でした。戦いでの勝利を詩にさせ、カルナク神殿に彫り込ませました。ヌビア（スーダンとエジプトにまたがる地域）の戦いでは各地に記念のオベリスクを建てました。

1960年代に巨大なアスワン・ハイ・ダム建設で水没するので移設されたアブ・シンベル大神殿というのがあります。ここには、青年期から壮年期までの巨大な4体のラメセス2世像が並べられています。この神殿の保存運動がユネスコによる世界遺産制度創設の原動力になりました。

王のミイラは1881年に発見されて、ギザの大エジプト博物館（開館予定）にあります。90歳くらいまで生きていた王は大柄で、身長183センチもありました。
このの ち、エジプトは衰退期に入ります。さまざまな民族の侵入に悩まされ、紀元前525年、アケメネス朝ペルシャに侵略されてその支配下に入り、ついでアレクサンドロス大王に征服されて、マケドニア人を王とするプトレマイオス朝に入りますが、このとき、アレクサンドリアは東西文明が出合う都としてヘレニズム文明の中心になりました。そののち、独立国家である時期はむしろ少ないのですが、ナイルの畔《ほとり》は中世から現代に至るまで世界の中心として栄え続けています。

5 — 孔子はどんな時代に生きた人なのか

中国では最初の世襲王朝といわれる夏の前に三皇五帝がいたといいます。三皇の最後は神農（炎帝）で陝西省《せんせいしょう》の黄土高原にいました。そこに西方から黄帝がやってきて両部族をまとめ、中原への進出も果たしました。このふたつの部族を漢民族は始祖と意識して、「我々はみんな黄土高原から出発した炎黄の子孫だ」という言い方も好んでします。

そののち、伝説上の賢君と言われる堯《ぎょう》や舜《しゅん》の時代を経て夏や殷といった世襲王朝が生まれていきました。

メソポタミアやエジプトよりは、少し遅れましたが、中国でも黄河や長江の流域に、5000年くらい前から文明が成立しました。そして紀元前3世紀に始皇帝によって強力な帝国が創設され、これを統一国家の成立といいます。しかし、それに先立って、夏・殷（商）・周という都市国家の連合体みたいなものがあったわけです。

そのなかで、強力な国家が成立していたことが確認できるのは殷（商）ですが、その前にあったと司馬遷の『史記』が紹介している夏も、何らかの形で実在した可能性はあります。4000年くらい前のことです。

中国では、20世紀が始まるころには、夏（前2224年）や殷（前1766年）はもちろん、周（前1122年）すらその実在が疑われていましたが、殷の発見はシュリーマンによるトロイの発見のようなロマンティックな夢と情熱の果実としてではなく、なんとも中国らしい現実的な出来事で発見が始まりました。

1899年に、清朝の高官が、マラリアの治療薬として買った龍骨に古い文字が書かれていることに気づき、さっそく薬屋から買い集めて解読を進めたのが始まりで、その産地である河南省で殷墟の発掘が行われました。

そして、甲骨文字が解読され、『史記』の記述が信頼できることが分かったのです。そうなると、それに先立つ夏も実在の可能性もあるということになり、河南省二里頭《にりとう》村（洛陽郊外）などの遺跡も候補だとされています。

ただ、たとえ夏がある種の統一国家だったのが本当だとしても、殷とは大きな差があります。青銅は夏の時期から使われ始めていましたが、大型で立派なものが現れたのは、殷になってからで、王者がそれを持ち、また、諸侯に贈り物として与えることで権威付けをするためなどに使われました。

漢字が普及したのも殷の時代です。高度な行政や秩序の樹立には書き言葉についての共通知識が不可欠なのです。すでに漢字があったとしても、まったくプリミティブな段階だった夏に比べ、簡単な銘文などが殷では出てきます。

現代の中国では夏や殷の時代が残酷な奴隷制の社会であったことが強調されます。とくに、殷墟では数百人単位の奴隷たちが殉葬されている遺跡が発掘されています。また、祖先を祀る儀式のときにも生け贄《にえ》が大量に捧げられていました。

それが、周の時代になると青銅器にも長い文章が彫られていますし（金石文）、思想的にもさまざまな著作も現れました。殷が占いや恐怖で人々を押さえつける王朝だったのに対して、周は道理のようなものが支配の論理となった王朝でした。

そうした考え方を、理想化し、体系化したのが孔子でした。孔子（前551～前479年）が生まれたのは、山東省東部の曲阜《きょくふ》にあった魯《ろ》という国です。創始者は周の初代武王の弟で摂政だった周《しゅう》公旦《こうたん》で、そのことが、孔子が周王朝の初期を理想の世とした背景にあります。

周の時代は長安に近い鎬京《こうけい》に首都があった西周の時代（前1122～前771年）と、洛陽に遷都したあとの東周の時代に分けられ、さらに東周の時代は周王室の権威がそれなりに保たれていた春秋時代（前770～前403年）と、事実上、周も一諸侯のひとつになってしまった戦国時代（前4

03～前221年）に二分されます。

このうち孔子が生きたのは、春秋時代のなかごろです。ただし、孔子の考え方が中国思想の主流となったのは、法と力による支配を行った秦を滅ぼし、安定した穏やかな天下を志向した漢で好ましい思想として扱われてからです。

東アジアでは、日本も含めてコミュニケーションの手段として、会話は通じなくとも、表意文字による筆談なら可能という特殊な文化圏が形成されていきます。そして、この漢語を会話においても母国語にする者が、漢民族という民族意識をもった集団に発展していきます。もちろん、人種的にはさまざまです。夏は東夷、殷は北狄、周は西戎出身だというような説明がありますが、そうしたさまざまなルーツの祖先を漢民族はもっており、すべて黄土高原から出た黄炎の子孫というのは幻想です。

6　日本人の先祖は呉の太伯と中国人は信じていた

中国の史書には、日本人の先祖は、周の文王の伯父である呉の太伯《たいはく》の末裔だと書かれていました。『魏略《ぎりゃく》』逸文や『梁書《りょうしょ》』東夷伝などに記されていることです。

はたして当時の日本人がそう名乗っていたのか、中国人の方が日本の風俗などを見て江南地方に似ていると思ってそのような想像をしたのか分かりませんが、当時の人々がそういう類似性を感じたということは、たいへん重要な証言だと思います。

文王の祖父である古公亶父《ここうたんぽ》には、太伯・虞仲《ぐちゅう》・季歴《きれき》という三人の息子がいましたが、季歴の子の文王が生まれたとき瑞兆《ずいちょう》（めでたい兆し）があったので期待し、季歴を後継者にしました。そこで、太伯と虞仲は南方に移り呉の国を建てました。

その子孫がのちに日本列島に渡ったというのですが、それは、もう少し後の戦国時代になってからのことです。

『日本書紀』や『古事記』には、日本人が中国から渡ってきたとは書いていません。天上に存在する高天原の神様たちが国産みをして大八洲《おおやしま》をつくりだしたとあります。つまり、日本人は天から降ってきたということですが、それは、どこから来たかは分からなかったという意味だと解釈すべきでしょう。

そして、紀元前６６０年に、日向国にいた磐余彦《いわれひこ》（神武天皇）が大和に移り、そこに小さな国を建国し、それから10代目の崇神天皇のときに大和を統一し、さらに吉備や出雲のあたりまで支配下に入れました。

14代目の仲哀天皇のときに北九州を支配下において日本列島を統一し、さらに、その死後、未亡人の神功皇太后が大陸にも進出したとあります。しかし、最初の20代くらいの天皇の寿命は非常識に長いので、そのままでは、史実といえません。

もし、仮に、神武天皇からあとの系図と事蹟はすべて真実だと仮定して、寿命を合理的な長さにし、また、中国や朝鮮の史書や４～５世紀に朝鮮半島で日本と対決した高句麗王・好太王（広開土王）の顕彰碑などに記された年代も参考にして組み立て直すと、神武天皇は紀元前後、崇神天皇は３世紀後半、神功皇太后の半島進出は４世紀中頃ということで整合性は十分に取れます。

日本人の起源については、１万年以上前から始まる縄文時代に狩猟採集生活を送っていた縄文人と、そののち、農業技術とともに大陸から渡ってきた弥生人に二分されますが、多くの数字がＤＮＡに占める割合は弥生人が３分の２を超えると示唆しています。

稲作は部分的には３０００年ほど前から伝わっていたようですが、爆発的に増えたのは２３００～２４００年前と考えられます。中国でいえば戦国時代あたりのことです。

一方、朝鮮神話では、檀君が最初の王朝を建てたとしていますが、高麗時代に編纂された正史にも載っていない民間伝承で、近世になってナショナリズムの興隆のなかで広まったものに過ぎません。

７―ギリシャ神話でわかる地中海世界の誕生

ギリシャ神話では、神々も人間も大地《ガイア》から出たもので、神々は不滅であり人間は生と死があるとされています。神々は人間の女性と子供をつくり、都市国家の創始者の多くがゼウスなど神々の子だとしています。

そんななかで、人類に火を与えて文明を創らせたプロメテウスという神が人類の創始者として特別な地位を与えられています。

エーゲ海のクレタ島では、前2000年ごろにはオリエントの影響を受けた青銅器文明が栄えていました。彼らは小アジア系の民族だったようですが、やがて、ギリシャ系のアカイア人たちが南下し、ペロポネソス半島にミケーネ文明を出現させ、前1400年頃には小アジア（トルコ）にも進出しました。

前13世紀のことといわれるトロヤ戦争の物語は、その記憶を反映しています。ホメロスの物語は神話だと考えられていましたが、1870年頃から、シュリーマンによるトロヤやミケーネの発掘などによって、史実だと分かりました。

前1200年頃のミケーネ文明の崩壊から数世紀は暗黒時代といわれますが、前800年頃になってポリスと呼ばれる都市国家（実際にはミニ国家であって都市というのは正しくありませんが）が成立し、そこでは住民による自治が行われるようになりました。政治（ポリティックス）という言葉の語源です。

ポリスの規模は、アテナイやスパルタでは20万～30万人の人口がありましたが、数万人以上のものは少なく、1000人以下のものもあったようです。どうして、大きな国が成立せずに、こういうことになったかといえば、入り組んだ入り江や小さな島々が点在していたからです。

イメージとしては、長崎県のようなところで、長崎と佐世保という二大都市があって、あとは、いくつかの小都市や対馬、壱岐、五島列島などの島々がポリスになっていたと想像していただければいいでしょう。

そして、そのくらいだと、市民もみんな顔見知りですし、気候が良いので屋外での集会も容易に聞かれ、ギリシャ語はその発音が明瞭なので遠くまで聞こえやすいというので、民主主義が発展しました。

一方、ローマのあたりにはアルバ王国があり、トロイの王子アエネアスと、ラテン人の女王ラウィーニアとの子孫が治めていたそうです。

この国の王女はベスタ神殿の巫女になりましたが、軍神マルスと交わり双子を産み、この双子は狼に育てられて成長し、兄弟の一人のロムルスがのちにローマの建国者となりました。

世界史に重要な足跡を残した民族がレバノンから出てきたセム語族のフェニキア人です。シリアのウガリットを中心に海上貿易に従事していましたが、前12世紀に謎の民族である「海の民」の攻撃によって打撃を受けました。彼らは、略奪するだけでどこかへ消えていく困った人たちで、エジプトの新王国やエーゲ文明も大きな打撃を受けました。

フェニキア人は南に移り、ティルスやベリュトス（現在のベイルート）などを開き、特産品で現在でもレバノン国旗にデザインされているレバノン杉を武器に勢力を伸ばし、植民都市をあちこちに置きました。ティルスの人々が建設したのが、チュニジアにあったカルタゴで（前814年）、スペインのカディスやバルセロナなどもフェニキア人が開いた都市です。

彼らは表音文字を発展させ、アルファベットのもとになる線状文字をつくりだしました。ただし、30の子音だけで、母音を加えたのはギリシャ人です。

フェニキア人はアケメネス朝ペルシャに庇護されましたが、カルタゴはシチリア島でギリシャ人に破れ、さらにローマに滅ぼされたことは第14項目で紹介します。

8――インカ帝国・マヤ文明・アステカ帝国の謎を解く

ヨーロッパ人は、自分たちの大陸に対してアメリカのことを「新世界」とか「新大陸」とか呼びます。原住民がいたのに失礼だという人もいますが、モンゴロイドの一派であるインディオやイヌイット（エスキモー）が新大陸にやって来たのは、1万2000年ほど前のことで、日本で縄文時代が始まったのとさほど変わりません。

何千年もかけて南下し、トウモロコシとかジャガイモ、唐辛子、南瓜《かぼちゃ》などこの大陸独特の植物を栽培することに成功したのが、紀元前2000年ごろと推定されます。

そして奈良時代と同じころにメキシコ高原にテオティワカン文明、ユカタン半島にマヤ文明が栄えました。また、ヨーロッパ人がやってくる直前の15世紀にはメキシコにテノチティトラン（今のメキシコシティー）を首都とするアステカ文明、ペルーのクスコ（標高3400メートル）にインカ文明が栄えました。

旧世界から隔絶されていたために、馬、牛、羊、鶏はおらず、七面鳥やアルパカなどだけでした。金属はもっぱら装飾用に使われ、「高度な石器文化」として独自の発展をとげました。それでも土木技術は優れ、中米のマヤやアステカには巨大なピラミッドが建設され、インカでは堅牢な石組みの砦が出現しました。ペルーの天空の都市マチュピチュ遺跡（15～16世紀）はもっとも人気のある世界遺産です。

ヨーロッパの歴史的地名

スコットランド
シュレスヴィヒ・ホルシュタイン
アイルランド
ハノーバー
ウェールズ
ホラント
ブランデンブルク
ゼーラント
ウェストファリア
ウェセックス
ザクセン
コーンウォール
フランドル
チューリンゲン
アーヘン
ブラバント
ヘッセン
ベーメン
ランス
ルクセンブルク
ノルマンディ
フランクフルト
ロレーヌ
ブルターニュ
アルザス
ビュルテンベルク
ブルゴーニュ公領
ホーエンツォレルン
アンジュー
フランシュコンテ
(ブルゴーニュ伯領)
チロル
ハプスブルク
アキテーヌ
ミラノ
サボワ
モデナ
トリノ
パルマ
ガスコーニュ
プロバンス
アストゥリアス
モナコ
ラベンナ
ナバール（ナバラ）
レオン
トスカナ
アンドラ
ポルトゥカーレ
アラゴン
カタロニア
カスティリア
マヨルカ
サルディニア
グラナダ

フランク王国の分割（9世紀）

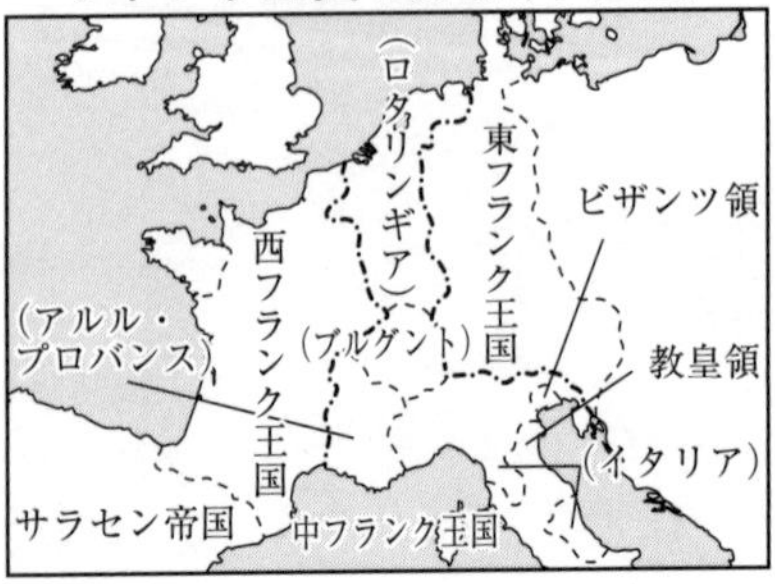
(ロタリンギア)
東フランク王国
ビザンツ領
西フランク王国
(アルル・プロバンス)
(ブルグント)
教皇領
(イタリア)
サラセン帝国
中フランク王国

第二章

ローマ・ペルシャ・秦漢帝国

古代ローマの水道橋（フランス）

9―日本の天皇は世界でただ一人のエンペラーか

世界でただ一人だけエンペラーを名乗っているのは、日本の天皇です。ヨーロッパでは、ドイツ、オーストリア、ロシアの皇帝が第一次世界大戦とその時期の革命でいなくなりました。ソロモン王とシバの女王の子孫とされるエチオピアのハイエセラシエ帝も1974年に革命が起きて退位させられました。その後、中央アフリカでボカサという独裁者が皇帝を名乗っていたことがありますが、これも1979年に国外へ追放されて、また、日本の天皇陛下だけになってしまいました。

日本の天皇に拝謁する人は、世界史において、王の中の王というような意味で使われてきた、もっとも輝かしい称号をもつただ一人の君主に会えるのですから喜びもひとしおです。

ただし、帝国主義とか大英帝国といったように使われるときの「エンパイア（帝国）」というのは、多数の国とか民族を束ねた政治形態のことをいいます。英国王を戴く大英帝国にみられるように、君主が皇帝を名乗っているかどうかは関係ありません。

それでは、そういう帝国が、西洋史の世界でどのあたりから生まれたかというと、紀元前7世紀にメソポタミアからエジプトまでを統一した、アッシリアがそのはしりで、それをさらに完成形にしたのは、紀元前6世紀にダレイオス1世（在位前522～前486年）のもとで全盛期を迎えたアケメネス朝ペルシャだといわれています。

インド北西部からマケドニアやルーマニア、エジプトにまで領土は及び、「王の道」が建設され、「王の目・王の耳」といわれた監察官が置かれました。

このペルシャの制度は、それを滅ぼしたマケドニアのアレクサンドロス大王の帝国に引き継がれ、さらにローマやインドのアショーカ王の帝国もその伝統を受け継いでいます。

一方、中国では、それより少し遅れた紀元前3世紀になって、始皇帝による統一が行われ、西洋と同じような国家制度の発展が見られるようになりますが、その後、2000年以上にわたって比較的安定した秩序を形成することになります。

日本は徐福伝説が象徴するように、中華帝国から海を隔てた別天地にあって、中国からの移民や文化、政治制度の流入を受けつつ独自の発展をした桃源郷という位置づけだと思います。最近増えた中国人観光客も、唐代以前の中国文化は日本のほうがよく残っていると驚いているほどです。

10 シリアの語源になった最強の軍事大国アッシリア

シリアという国は、日本人にとってなじみがなかったのですが、アサド政権、反政府派、クルド人、IS(イスラム国)が繰り広げる内戦で世界の注目を浴び、日本人の人質が処刑される事件まで起きて、急に関心が高まりました。

しかし、この国のシリアという国名が、古代史でおなじみのアッシリアから来ているらしいということを知っている人は少ないようです。

首都のダマスカスは、現代まで命脈を保ち続けているという意味で、世界最古の都市といわれ、もし、アラブ世界が統一されたら首都に最もふさわしい場所です。アップルの創業者スティーブ・ジョブズがシリア人留学生の子ですし、女優エリザベス・テーラーもシリアからイギリスに移民した家系です。

面白いのは、アッシリア人と名乗る少数民族がいまもいることです。中東の諸民族は、平家の落人伝説よろしく、勝手に古代の有名民族の子孫と称することがあるので確かなことは分かりませんが、中世からそう言っています。彼らはキリスト教のアッシリア東方正教会とかカルデア派といったキリスト教小宗派を信仰しています。

言語はイエス・キリストが話していたアラム語をいまも使い（イエスが話していたのはヘブライ語ではなかったようです）、フセイン政権下でイラク外相だったタジーズとかテニスのアガシ選手など世界で活躍する有名人もたくさんいます。

古代のアッシリアは、イラク北部におこり、前663年にオリエント全域を最初に統一した民族です。紀元前1500年前後には、大河川流域以外でも灌漑技術の進歩で農業が盛んになり、ヒッタイト人のような鉄器を武器にした民族が活躍したり、インドにアーリア人が侵入したりしました。ギリシャではホメロスの『イーリアス』で描かれたトロヤ戦争があった時代で、中国では殷の時代です。

そして、紀元前1000年あたりになると、アフリカではカルタゴが建設され、中国では周の時代になり、ユダヤでダビデやソロモンが活躍した時代になります。

アッシリアは、前9世紀には三人乗りの鉄製の戦車と騎兵隊を採用したことから徐々に力を伸ばし、服従した国は属国として支配し、抵抗した国は滅ぼして属州とする古代帝国の基本形を形成していきました。

紀元前8世紀には、バビロンを征服しパレスチナを支配下に置き、前7世紀中ごろには、アッシュル＝バニパル王がエジプトなど全オリエントを征服して最初の世界帝国となりました。最盛期の都はイラク北部の中心都市モスルのチグリス川対岸にあるニネベでしたが、その遺跡は、ＩＳＩＬによってひどく破壊されました。

ところが、アッシリアの支配は、軍事力に頼った過酷なものだったので反乱が起こり、カルデア人（アラム系）が新バビロニアを建て、帝国は滅亡しました。

新バビロニアのネブガドネザル2世は、エジプトと結び反乱を起こしたユダ王国を属領化し、人々をバビロンに移住させました。紀元前586年ごろです。この物語を題材にしたのがベルディのオペラ「ナブッコ」で、「行け金色の翼に乗って」というヘブライ人たちの合唱はイタリア独立の愛国歌として扱われ、サッカーの世界でも有名です。

都市開発や建築にも力を入れ、バベルの塔や空中庭園もこの時代のバビロンにあったものといわれ、イシュタケル門という紺色のタイル張りの城門は、ベルリンのペルガモン博物館で屋内に復元展示され、ベルリン観光の目玉のひとつになっています。

11—ペルシャ帝国が世界で最初の帝国だといわれるわけ

アケメネス朝ペルシャと、ギリシャの都市国家連合軍が前490年にアテナイ郊外のマラトンで戦ったとき、ギリシャの勝利を知らせるために42・195キロを休まずに走って力尽きて死んだ兵士を記念したのが、マラソン競技です。

ペルシャの名は、アケメネス朝がイラン南西部のファールス地方から出たことに由来します。イランというのはアーリア人を意味する名で、パフレビー朝の創始者レザー・ハーンが使い始めたものです（1935年）。「高貴」であることを示す言葉のようです。

「濃い顔」の典型で、ダルビッシュ投手がイラン人と日本人のハーフですが、ヨーロッパでは昔から、美男美女の産地として認められています。ペルシャ語も非常に洗練された言葉で、インドのムガール帝国の宮廷でも主に使われていましたし、ペルシャ人は知的でもあり、どんな時代にも、西アジア各地で官僚として重宝されました。

異民族に支配されることが多く、歴代の王朝が連続しているものではありませんが、アケメネス朝、ササン朝、そして、サファビー朝のときが三大繁栄期です。この三つの王朝のライバルだったのが、それぞれ、ギリシャ、東ローマ、それにオスマン帝国です。

歴代王朝の首都は、ほかの国では例を見ないほど、各地を転々としています。アケメネス朝は現在のシーラーズを中心都市とするファルース地方から出て、大事な儀式はシーラーズ郊外のペルセポリスで行いました。ペルシャ湾岸にそそり立つザグロス山脈のなかにある高原都市です。しかし、行政の中心はイラク国境とペルシャ湾に近いスーサでした。

カスピ海沿岸にあったメディアに従属していたキュロス王が反乱を起こして前550年に建国し、新バビロニアなども征服しました。このとき、ユダヤ人が解放されたので聖書では善玉扱いです。現在の政治状況ではぴんと来ませんが、イラン人はユダヤ人の恩人です。

キュロス王の息子カンビュセス2世は、エジプト第26王朝を前525年に滅ぼしてオリエントを統一し、ギリシャも従属させ、その死後はダレイオス1世（在位前522～前486年）が擁立されました。

インド北西部からマケドニアやルーマニアにまで及ぶ領土は20州に分けられ、サトラップ（総督）が置かれました。一方、画一的な統治を避けて、新バビロニアやギリシャの都市国家の自治を認め、貢納さえすれば満足しました。

しかし、アテナイなどへの支配を強めようとして反乱を招きます。ダレイオスの死後も戦いを続けましたが、前480年にはクセルクセス王が親征したサラミスの海戦やプラタイアの戦いで敗れました。そして、前330年に、マケドニアのアレクサンドロス大王の遠征を受けて帝国は滅びました。

その宗教はゾロアスター（拝火）教で、教祖はニーチェの著作やリヒャルト・シュトラウスの音楽でも知られるツァラトゥストラです。彼の活躍した時期は前13～前7世紀とさまざまな説があり謎です。世界を光明神と暗黒神（悪神）であるアーリマンの対立という二元論として捉え、終末に救世主による最後の審判が下されると説いており、その世界観は、ユダヤ教、キリスト教、イスラム教など多くの一神教に影響を与えています。

ゾロアスター教は、パーシー教という形でインドのムンバイ方面に残り、現代インド経済界の一大勢力です。指揮者のズービン・メータはこの集団から出ていますし、神戸の外国人墓地にも火の模様をあしらった彼らの墓があります。

12―ヨーロッパ人だけでなく日本人にもギリシャは心の故郷

「我々はすべてギリシャ人である」「我々の法律、文学、学芸のいずれとしてギリシャにルーツを持たないものはない。人間の姿と心はギリシャにおいて完成し、それらは人の心を高め、喜ばせ、人類の続く限りやむことがないであろう」

19世紀イギリスのロマン派詩人シェリーがこう言ったという話を、私は中学生のころに美術史の本で読んで感動しました。北国の霧に閉ざされたイギリスの住民が太陽の光が煌めくギリシャ人の子孫であるわけはないですが、西洋文明の発想が、そのもっとも大きな部分をギリシャを源としていることは明らかです。

その意味では、文明開化のときから西洋文明の価値観を受け入れた日本人もまたギリシャ人だといえるかもしれません。

同時に、アショーカ王の時代以降の仏教もまたギリシャ思想の影響を受けており、その意味では、飛鳥時代からすでに我々もイギリス人がそういうのと同様にギリシャ人の血を引いているといってもいいのです。

ギリシャでポリスが生まれたのは、前12世紀ごろで、ホメロスの叙事詩で有名なトロヤ戦争もこのころですが、そのあと、「海の民」の侵入などあって低迷期がありましたが、前8世紀ごろになると、アテナイやスパルタが栄え、古代オリンピックも始まりました。アテナイでは前6世紀に社会問題に取り組んだソロンの改革があり、陶片追放といわれる独裁者を民衆の意見で追放する仕組みもできました。

前5世紀の前半は、ペルシャ戦争の時代です。アテナイも焼き払われましたが、その脅威が去ったあと現れた英主がペリクレスです。名門出身ですが、貴族を代表する政治家を陶片追放させて最高権力者となり、前444年から前430年までの15年間にわたってストラテゴス（将軍）に選出されました。ペルシャに対するデロス同盟の盟主だった地位を利用し、デロス島において管理していた資金をアテナイに移し、これで、ペルシャに焼かれたパルテノン神殿を現在の形で再建するなど、アテナイの黄金時代を築きました。

ただし、このころのギリシャには樹木も多かったし、パルテノン神殿も大理石の彫像も赤や青の塗料が塗られ、名彫刻家フェイディアス作のアテナ神像は黒い象牙と黄金でできていました。なにしろ、あのミロのビーナスですら、もとは、赤や青の塗料が塗られていたようなのです。白い廃墟のイメージは18世紀ごろからヨーロッパ人が好むようになっただけで古代ギリシャ人の趣味ではまったくありません。

しかし、このペリクレスの強引なやり方に反発して、本来は対等の都市国家の同盟だったはずのデロス同盟がアテナイを盟主とする帝国のようになったことに反発も強まりました。これを見てスパルタが反旗を翻すポリスを支援して、前431年、ペロポネソス戦争が勃発しました。ペリクレスは籠城策をとり、海上に活路を求めましたが、城内にオリエントからもたらされた伝染病が発生し、自身もこれに罹って死にました。

ペリクレスは民主主義の基本になるような格言を多く残しました。「貧しいことは恥ずべきことではない。しかし、その貧しさから脱しようと努めず、安住することこそ恥ずべきことであるとアテナイ人は考える」「アテナイの住民は私的な利益を尊重するが、それは公的利益への関心を高めるためでもある。なぜなら私益追求を目的として培われた能力であっても、公的な活動に応用可能であるから」「アテナイの住民は富を追求する。しかしそれは可能性を保持するためであって、愚かしくも虚栄に酔いしれる為ではない」「時の言うことをよく聴け。時はもっとも賢明なる法律顧問なり」「アテナイでは政治に関心を持たない者は市民として意味を持たない」など、現代のアメリカの大統領が使ってもおかしくないような近代性を感じさせます。

ペリクレスの時代に、アテナイの繁栄は頂点に達し、18世紀フランスの哲学者ボルテールは、カエサル時代のローマ、ロレンツォ・メディチのフィレンツェ、ルイ14世のフランスと並ぶ偉大な時代としています。

こののち、ギリシャの主導権は軍事国家スパルタに移りました。しかし、文化的には、アテナイで、ソクラテス、プラトン、アリストテレスらが活躍する黄金時代でした。文化がいちばん華やかに花開くのは、軍事的、経済的に少し盛りを過ぎたときで、残念ながらいまの日本がそういう時期にさしかかっているのかもしれません。

しかし、政争に巻き込まれてソクラテスは刑死しました。そして、ギリシャ人と近接した民族ですが、ギリシャ北方の強力な専制国家であるマケドニアを盟主として従うことになりました。その王であるアレクサンドロスの少年時代の家庭教師がアリストテレスです。

13—クレオパトラはギリシャ人だったのか

アテネ五輪の開会式でギリシャ選手団が入場するとき、場内アナウンスを聞いていたら、「ギリシャ」という言葉が出てこないので「あれっ」と思いました。そこで、改めて調べたら、英語ではグリース、フランス語でグレースですが、現代ギリシャ語ではエラス、古代ギリシャ語ではヘラスということを発見しました。

ギリシャという名はどこから来たのかというと、南蛮人たちがポルトガル語で「グレーシア」といったのを耳で聞いたままに書き写したものです。

ヘラスのほうは、「ヘレニズム文明」という使い方が日本でもおなじみで、ギリシャ神話の女神ヘレナが語源です。いまでこそ、ギリシャ国民は古代ギリシャ人の末裔と威張っていますが、18世紀からの独立運動でも東ローマ帝国の再興を目指しコンスタンティノープルを首都にするつもりであり、古代ギリシャ人のことは異教徒のヘラス人だとして軽蔑していたのです。

このヘレニズム時代というのは、アレクサンドロス大王による帝国の建設から、その後継諸国がローマによって征服されるまでの時期を指します。ギリシャの諸ポリスは、だいたい自治を保ちましたが、他の地域はペルシャ風の専制帝国に支配されました。しかし、ギリシャ文明の自由で科学的な精神は維持され、ローマに引き継がれたのです。

ギリシャの特殊性を脱却して普遍化されたのが、ヘレニズム文明の時代といえます。そして、その普遍性がゆえに、その後の世界にはかりしれない影響を及ぼすことになります。

古代のマケドニア王国は、自らをギリシャ人であると主張しオリンピックにも参加を認められていましたが、一夫多妻など独特の社会を形成していました。フィリポス2世のときに長槍軍団《サリッサ》の活躍で発展し、ギリシャ世界の指導者になりました。織田信長が濃尾から畿内に乗り込んだといったイメージです。

アレクサンドロス大王がアケメネス朝ペルシャを倒して大帝国を築きました。『プルターク英雄伝』は、ローマ人プルタルコスによって編まれたものですが、まさに血湧き肉躍る面白さです。シェークスピアは、これに刺激されて古典史劇を書き、ナポレオンの少年時代の愛読書でもありましたが、ここでも、図抜けた英雄として描かれているのがアレクサンドロスです。

アレクサンドロスは20歳で王位に就き、前334年に東方遠征へ出発し、トルコのアンティオキアの北西のイッソスでダレイオス3世が率いるペルシャ軍に勝利しました。

エジプトでは、ペルシャに占領されて11年しかたってなかったので、解放者として迎えられ、アメンの子という神託を得て、ファラオを称しました。前331年、チグリス川上流ガウガメラでダレイオス王の率いるペルシャ軍を破り、バビロンやスーサの主要都市を落とし、ペルセポリスではアテナイのパルテノンを焼いた復讐で宮殿を焼き払いました。

ダレイオス3世が部下の裏切りで殺されたのち、東に進みましたが、前326年にアフガニスタンとパキスタンの間のハイバル峠を越え、インダス川を渡ってインドに侵入したところで、兵士たちに進軍を拒否され、新しい帝国の首都としたイラン西部のスーサに帰還しました。

その途中、アレクサンドロスはイラン北東部のバクテリアでロクサーヌ王女と結婚式を挙げ、スーサでは1万人のギリシャ兵士とペルシャ女性たちの合同結婚式を挙行し、ペルシャ風の荘厳な儀式を採り入れ東洋風の君主を気取りました。

アレクサンドロスは「神は全人類の父であって、諸民族は同朋である。人はギリシャ人か否かでなく善悪によって区別されるべきだ」といい、この発想のおかげでギリシャ文明はヘレニズム文明に進化したのです。

アレクサンドロスは、前323年に、バビロンでの宴席ののちに熱病で倒れ、32歳で死んでしまいました。そして、残された帝国は、マケドニア、セレウコス朝シリア（首都はトルコ南部でシリアとの国境に近いアンティオキア）、プトレマイオス朝エジプト（首都アレクサンドリア）などに分裂しました。

ヘレニズム世界における東西融合最大の成果といわれるのが、天文学です。バビロンには膨大な過去の記録がありましたが、その蓄積とギリシャの数学者の知恵が結びついた結果、日食のような天変地異を予測することが可能になったのです。

アレクサンドロスは各地にギリシャ都市を建設し、アレクサンドリアと名付けました。プトレマイオス朝の首都だったエジプトの港湾都市が代表的ですが、タリバンの根拠地であるアフガニスタンの要衝カンダハルも同じ名前が訛《なま》ったものです。

14―人類が最も幸福だったといわれるローマ五賢帝の時代

日本人が好きな西洋文化論のなかで、「文化」（カルチャー）が各時代にわたって広範囲で、精神的所産を重視しているのに対し、「文明」（シビライゼーション）は時代・地域とも限定され、経済・技術の進歩に重きを置くから物質的な文明を発展させるより、人間の精神性を追求する文化を大事にすべきだとかいう説があります。

そこから、ギリシャは文化を生み出し、ローマは文明だからギリシャのほうが上とかいう議論をする人がいます。

しかし、この文化、文明論は、おかしいとフランスに留学して気づきました。フランス文化という日本語を仏訳すればシビリザシオン・フランセーズなのです。英語でもよく似た感じです。それでは、上記のような理解がどこから来たかといえば、ドイツ語のニュアンスがそれに近いようです。そして、ドイツでは、たしかに、ギリシャの人気が高いようで、ローマとの絆を強く感じるフランスなどとの違いが感じられます。

いずれにしろ、大事なことは、ドイツかぶれの学者の言うような文化の文明に対する、あるいは、ギリシャのローマに対する優位といった理解は、ヨーロッパで一般的なものではないということです。むしろ、ギリシャの生んだ人間重視の思想や基礎科学は、ローマ人のプラグマティズムのおかげで生かされ広まり、現在の世界に伝えられているのです。ここのところが分からない人には西洋史は理解できないでしょう。

伝説上のローマの始まりについては、既に紹介したとおりですが、史実では、ローマは前509年に、エトルリア人の王を追放して共和政に移行しました。貴族《パトリキ》が支配していましたが、徐々に平民《プレブス》も力をつけてきました。
前4～前3世紀にイタリア半島統一戦争を行い、平民は武器を自弁する重装歩兵として戦力の中心となり、発言権を増していきました。紀元前3世紀中頃から前2世紀の前半まで、3回にわたって起きたローマとカルタゴの戦いをポエニ戦争といいますが、この結果、カルタゴは滅亡し、ローマが東地中海支配を確立させました。そのうち、前218年からの第2回ポエニ戦争はカルタゴの将軍ハンニバルが象を連れてアルプス越えでイタリア半島に侵入し、ローマをもう一歩で屈服させるところまで健闘したので有名です。

そののち、ローマはマケドニアを征服し、シリアのセレウコス朝も滅ぼしました。しかし、戦争の長期化や海外領土（属州）からの奴隷と安価な穀物の流入は市民階級を没落させ、都市国家としての共和政の維持は困難となり、帝政に移行していきます。

「パンとサーカス」といわれますが、無料で食料を配り、剣闘士の試合を見せたり、大浴場を建設したりしました。広がった支配地には、「分割統治」を駆使し少しずつ違う扱いをして、彼らが団結して行動するのを防いだのです。

軍人が下層市民主体の兵士の支持で執政官となる時代になり、民衆派の指導者であるクラッスス、オリエントで活躍したポンペイウス、そしてガリアを征服したカエサルの三頭政治が始まりました（前60年）。

この三人のうちカエサル（前102ころ～前44年）が、元老院から警戒されて社会の敵と糾弾されたときに、「賽《さい》は投げられた」という名言とともに、イタリアとガリアを分かつルビコン川を渡って軍事クーデターに成功しました。そして、ポンペイウスを追ってエジプトに遠征し、絶世の美女というほどには美しくはなかったけれど、知的で魅力的だった女王クレオパトラと愛人関係を結び、男子カエサリオンを得ました。

カエサルは、とてつもなく魅力的な人物だったらしく、軍事的な才能もあるし、将兵を引きつけるカリスマ性もあり、また、男性も女性も魅了しました。このころの男女関係は乱れきっていましたが、カエサルはとくにもてたといいます。

文才にも恵まれ、「見た、聞いた、勝った」というシリアの戦いでの報告はよく知られていますし、ガリア遠征のおりに記した『ガリア戦記』はラテン文学の名著として知られ、我が国でも岩波文庫にも早くから入って愛読されました。

カエサルという名は、のちにドイツやロシアで皇帝の称号として使われましたが、カエサル自身が皇帝となったことはありません。彼が成し遂げたのは、三頭政治や複数執政官といった集団指導体制から独裁体制とすることと、元老院の弱体化を一気に進めたことでした。属州民にも元老院の議席を与えるなどして有名無実化したのです。

カエサルは、終身独裁官となりましたが（前44年）、護衛をつけることができない元老院へ単身で入ったところを暗殺されました。このとき、クレオパトラはローマに滞在中でしたが、急いで帰国しました。

カエサル暗殺で独裁者の出現を阻止したと思った守旧派でしたが、カエサルの政策の大きな方向はローマ社会が直面する問題への正しい対処だったので、その策を踏襲・発展していきました。そして、ローマ帝国は世界文明の進歩の舞台として最大級の貢献をすることになります。

姪の子で養子となって財産も引き継いだオクタビアヌス（のちのアウグストゥス）と部下の軍人だったアントニウスとが後継を争いました。アントニウスは、クレオパトラと結婚し、三人の子をなしましたが、これが政治的に不利に働き、身を滅ぼしました。

オクタビアヌスは辛抱強く、元老院を立てながら、事実上の初代皇帝となりました。元老院はアウグストゥス（尊厳者）の称号を贈り、国の全権を掌握するよう懇請しました。オクタビアヌスは何度も辞退した上でこれを受け、インペラトル・カエサル・アウグストゥスと名乗ったのです。

ローマの保護下にあったパレスチナでイエス・キリストが誕生したのは、オクタビアヌスの治世の末期である前4年です。

ローマ帝国の全盛期は、『ローマ帝国衰亡史』で知られる18世紀英国の歴史家ギボンが、「人類が最も幸福であった時代」とした「五賢帝の時代」です。オクタビアヌスの係累は暴君ネロを最後に途絶え（68年）、混乱が続いたのち、紀元96年にネルバが即位してから、紀元180年にマルクス・アウレリウスが遠征中のウィーンで死去するまでのことです。

ネルバのあと、軍人のトラヤヌスにも、そののちの2代の皇帝にも跡継ぎがいなかったこともあって、ハドリアヌス（在位１１７～１３８年）、アントニヌス・ピウス（在位１３８～１６１年）、マルクス・アウレリウス（在位１６１～１８０年）が皇帝となりました。

この1世紀足らずの時期は、ローマ帝国の版図《はんと》が最大となりました。皇帝それぞれがそれなりの水準の人物であり、帝国のすみずみまでその威光が行き届いたおかげで、まれに見る安定がもたらされました。

ローマ市内の広場に立つ円柱でも知られるトラヤヌス帝のときにローマ帝国はブリテン島からメソポタミアという最大版図を誇ったので、のちの皇帝は、「アウグストゥスより幸福で、トラヤヌスより善良であるように」と願うことが習慣となったほどです。

ロマンティストでホモセクシャルだったハドリアヌスは、トラヤヌスの獲得した領土を守るためには、膨大な財政負担と兵士がいることを見抜いて賢明にもメソポタミアを放棄しました。また、イングランドとスコットランドを隔てる高さ４～５メートルで長さ１１８キロメートルの長城を建設し、今も残って世界遺産になっています。

ローマ郊外で世界遺産になっている「ハドリアヌスの別荘《ビラ》」を造営し、阿部寛主演で映画化もされたマンガ『テルマエ・ロマエ』にも登場する皇帝です。

五賢帝で最後のマルクス・アウレリウスは、ハリウッド映画『ローマ帝国の滅亡』や『グラディエーター』に登場する皇帝で、『自省録』という著書で知られる哲学者でもあります。「外部の出来事に平静を保ち、魂の病である情念から解放されたアタラクシアに達しよう」というストア哲学の信奉者でした。彼の使いと称する者が後漢時代の中国にたどり着いて、「大秦皇帝安敦《だいしんこうていあんこん》」として中国の歴史にも記録されていることでも有名です。

15―始皇帝は信長・秀吉で劉邦は家康と見ると分かりやすい

明治維新をフランス革命と同じ市民革命と見るか、前近代的な支配者の交代だと見るのかといった論争がかつてありました。マルクス主義史観に立つ人同士の内輪もめですから、どうでもよいのですが、「維新」を「王政復古」（フランス語でレストラシオン）と訳してしまうと、ナポレオン戦争後にブルボン朝が復帰したのと同じになります。一方、「革命」（レボリュシオン）と訳すのもなんとなく違和感があります。

しかし、現実に起きた統治機構の変化に着目すれば、理解は簡単なのです。江戸時代の体制は、国土を領地や領民を私有物のように扱う大小さまざまの諸侯の支配に任せる封建制でした。それに対して、明治体制は版籍奉還や廃藩置県の結果、中央集権的と同じようなサイズの都道府県、郡（大正時代までは行政組織）、市町村という三層の地方行政組織で治める体制で、郡県制のバリエーションです。

なぜ王政復古であり、かつ市民革命なのかといえば、日本国内では、形の上では律令制の復活です。しかし、具体的な制度設計では、フランス革命とナポレオン体制のフランスの制度を導入したものでもありました。

そして、律令制とフランスの制度がどこで繋がるかといえば、日本古代の律令制は中国で始皇帝（在位前247～前210年）によって確立された郡県制を採り入れたものでしたし、フランスの地方制度も、イエズス会の宣教師によって理想化されて紹介された中国の制度を参考に構築されたものでした。つまり根っこは同じところにあるのですから、王政復古にして市民革命であることはなにも矛盾はしないのです。

都市国家の連合体のようなものから「帝国」といわれる統治制度への変化は、キリスト誕生の数世紀前からオリエントを手始めに世界規模で起こりました。なかでも始皇帝の制度はどこよりも理念的に進んだ徹底したものでした。

秦は、他の有力諸侯が周の建国の功臣の子孫だったのに対して、西方の異民族との境界地域で、黄河上流の甘粛省《かんしゅく》や陝西省あたりを領地としてもらって、集権的な国造りをしていました。とくに、始皇帝は法家の李斯《りし》を重用し、彼の策を入れて富国強兵につとめ、前221年に中国を統一したのです。

新中国でも始皇帝は大きな影響を与えています。始皇帝を尊敬した毛沢東は歴史上でももっとも徹底して封建主義を否定し、新中国を建設したからです。ただし、その後継者たちは儒教礼賛へ先祖返りを始めているようです。中国までは法家と儒家というふたつの流れが、常に混合したり、せめぎ合ったりしますが、統治者たちは、自分の都合で良いとこ取りをして中国を統治しました。

始皇帝は、経済でも文化でも制度の統一にこだわりました。銭も円形に四角い穴があるものに統一されました。土木工事では万里の長城ができ、防衛上の利点だけでなく、「漢民族の国」の範囲がはっきりしました。そして、漢字を篆《てん》書体という現在でも実印などに使われる字体に統一しました（実用性に問題があり、隷書体に変化していきます）。

ところが、秦帝国は統一から14年、始皇帝の死からは、わずか3年で滅びました。後継者がはっきりしていなかったのが原因です。しかし、それ以上に、郡県制や強力な正規軍という体制が、十分に機能し始める以前に始皇帝が死んでしまったのが痛かったのです。

劉邦（在位前202～前195年）は、何事も細かく規則で縛った始皇帝のアンチテーゼとして人気を博し、「殺すなかれ、傷つけるなかれ、盗むなかれ」という「法三章」だけで済むことこそが理想だと言ったりもしました。ところが、実際には、漢の体制は秦の制度をマイルドにしただけで、決して、それ以前の制度に戻ったのではありません。

日本の歴史で言えば、漢代と江戸時代、劉邦と徳川家康が、いろんな意味で似ています。信長や秀吉は始皇帝の路線で、強力な中央集権国家を目指したのですが、家康は「信長や秀吉の路線は方向はいいが、ちょっと過激だ」と思ったので、少しマイルドにして保守派を安心させました。それが長続きする秘訣になりました。

劉邦は「郡国制」を実施しました。直轄地は秦の制度と同じ治め方をして国家運営の基礎にし、宗族（親戚）や功臣たちに辺境を中心に領地（国）を与えたので、ちょうど、幕府直轄領（いわゆる天領）と藩が併存したのと同じで、彼らが外様大名のようなものです。女性の遺体がミイラ化もせずに残っていた馬王堆漢墓《まおうたいかんぼ》は、このころの大名の夫人のものです。

思想的には儒教を採用しました。儒者たちは劉邦に、「儒者は進取には役立たないが守成には役立つ」と宮廷儀礼を定めることを売り込み、儀礼を制定して家臣たちを集めさせました。荒くれ男たちが整列し、神妙にうなだれているのを見て劉邦は驚き、「私は初めて皇帝の尊さを知ったぞ！」と歓喜し、儒教のファンになりました。劉邦は積極的な外征も控え、最大の脅威だった匈奴にも、劉邦は贈り物をして懐柔するだけに留めました。

しかし、7代目の武帝（在位前141～前87年）のときには、衛青や霍去病《かくきょへい》に命じて匈奴を打ち破り、西域に領土を伸ばし敦煌郡などを置き、いまのベトナム北部や朝鮮半島のソウル以北あたりまで、郡県を置いて内地として治めたのです。シルクロードを通じて、中国の絹がローマに運ばれ、ブドウやザクロ、それに仏教が伝わってきました。

その武帝は、現代の中国人がもっとも尊敬する人物の一人で、習近平はその再来を目指しているように思います。彼の望む領土拡張（開疆闢土《かいきょうびゃくど》）への志向は世界にとって、まさに脅威です。

武帝は儒学を正統の学問として五経博士を設置し、儒教を国教としました（前136年）。こうして、始皇帝が拠《よ》った法家の思想と、周以来の伝統に基づく儒家の考え方が融合して安定した中華帝国が出来上がったわけです。

この体制は、統治の安定のためには出来が良かったので、辛亥革命まで継続したのですが、その安定優先の権威主義的な思想は停滞の原因ともなりました。

16―卑弥呼より倭の五王の使節派遣のほうが重要だ

秦漢帝国の繁栄は、日本列島や朝鮮半島が文明化していくことを助けました。日本の建国神話はすでに紹介したとおりですが、統一国家となった大和朝廷が中国との接触を始めるのは5世紀の中国・南北朝時代です。

しかし、日本列島の都市国家と大陸の接触は漢の時代に始まっていますが、さらにその前段階に徐福伝説があります。司馬遷の『史記』には、「東方の三神山に長生不老の霊薬がある」と始皇帝に申し出て3000人の男女と多くの技術者とともに五穀の種を持って、東方に船出し、「平原広沢（広い平野と湿地）」を得て王となり戻らなかったという琅邪《ろうや》（山東省青島付近）生まれの徐福が紹介されています。

一般の徐福のイメージは、日本へ直行したというものですが、韓国にも徐福の伝説があり、山東半島からの船出ですから、半島沿岸経由のほうが自然なのです。アメリカ大陸でも、インディオたちはアラスカから、バイキングたちはグリーンランドから陸が見えるところを伝ってやってきたのと同じで、荒波の東シナ海を横断するなど無謀なことをするはずがありません。

周の時代になって、楚、呉、越といった稲作地帯の南蛮諸侯が漢民族の一員であると認められて、長江流域の稲作地帯が華夏族（漢民族）国家に組み込まれて、この地域の人口が増加していきました。そうなると、土地が足らなくなりますから、稲作が可能な新天地を求めて華南の開発が進み、なかには、朝鮮半島や日本列島などに移住していく人々が相当多くいました。

応神朝に渡来した秦氏《はたうじ》が始皇帝の子孫と称し、東漢氏が後漢霊帝《れいてい》の後裔と伝えられることも、秦漢帝国時代の山東半島から朝鮮半島ないし沿岸を経由しての迂回ルートが我々の先祖がやってきた道であることを示唆します。

弥生時代の日本には、稲作が大規模に導入され、環濠集落が営まれ、金属器が使用され始めますが、その風景は中国の江南地方で展開された変化と非常に似ています。そして、後漢の光武帝は日本からやってきた奴国の王に金印を授けたと史書にあり、その金印が奇跡的に江戸時代に福岡市の志賀島で発見されています。

一方、満州から朝鮮半島北部では、周の時代の初めに箕子朝鮮、前漢時代の前194年に衛氏朝鮮という国が中国人によって設けられたという記録が中国の史書にあります。しかし、漢の武帝は、平壌付近の楽浪郡など四郡を設置し、半島北部を直接支配しました。後漢末には、地方官吏出身の公孫氏《こうそんし》がなかば独立王国を形成したので、日本列島と中国本土との接触は難しくなりました。公孫氏の王国との接触はあったかもしれませんが、記録は残っていません。

そして、この公孫氏の王国が滅びた直後に日本列島から邪馬台国の卑弥呼が使いを送りました。朝鮮半島南部については、『魏志東夷伝』にも、日本列島より政治的にも文化的にも遅れた状態で群小国しかないと書かれています。

しばしば、日本が半島から文明を学んだという言い方がされますが、根拠はありません。稲作が本格化する条件も温暖な日本のほうが整っています。あとで書くように6世紀あたりに百済を通じて中国の文化を盛んに輸入した時期がありましたが、ほかの時代にもそれと同じようなことがあったわけではありません。

邪馬台国の所在地は不明です。もちろん、邪馬台国とか卑弥呼とかいう名も中国人がそう呼んでいただけです。近畿地方だという人もいますが、当時、畿内王権が北九州に及んでいたと推測される材料はなく、大和朝廷の勢力が北九州に及んだのは仲哀天皇の時だとする『記紀』の記述や、倭の五王が大和朝廷は畿内発祥だという前提で書かれているのとも矛盾するので、私は九州だと考えています。

そして、卑弥呼の後継者のイヨという女王が266年に使節を送ったあとに途絶し、再開は5世紀における大和朝廷による南朝の都だった建康（南京）への派遣を待たなければいけません。

一方、インドで、ブッダ（前463?～前383年?）が活躍したのは、紀元前5～前4世紀です。しかし、世界史的に大事なのは、アレクサンドロス王の遠征の余波で、紀元前4世紀にインド亜大陸をほぼ統一したアショーカ王が、仏教を国教として採用したことです。詳しくは次章で紹介します。

第二章

仏教・キリスト教・イスラム教

ダマスカスのウマイヤドモスク（シリア）

17―三大宗教は社会全体を動かせるトータル・システム

『137億年の物語―宇宙が始まってから今日までの全歴史』（クリストファー・ロイド／文藝春秋）という人気のある世界史の本では、世界史上の重大事件のひとつとして、アショーカ王による仏教の国教化をあげています。ブッダによる悟りや布教よりこちらを選んだのが面白いところです。

三大宗教のうちイスラム教はムハンマド自身が強力な宗教国家をアラビア半島に創りあげました。キリスト教は、イエス自身が新宗教を開いた意識はなかったかもしれませんが、直接の弟子たちが教団をつくりローマにまで布教して有力宗教となり、2世紀にはローマの国教になりました。

仏教もブッダ自身は新たな宗教を開いたと思っていなかったでしょう。そして、やはりブッダの時代から2世紀ほど後のアショーカ王が仏教に帰依《きえ》し、インドを統一してその国教としたことで世界的な影響まで持つきっかけになりました。その意味で、アショーカ王の改宗にこそ意味があるという見方は説得力があります。

仏教もキリスト教も、教えだけでなく、経典を理解するための語学力、建築、道具、衣装、音楽、教団の組織などを伝播させます。日本には漢字が伝来したといっても、長いあいだ華人以外はあまり読み書きもできなかったのが、仏教伝来で一気に普及しましたし、飛鳥文化に見られるように先進文明が一気に導入されました。

しかし、ブッダやキリストは、政治的なリーダーでもありませんでした。それに対して、ムハンマド（570ころ〜632年）は生前にアラビア半島をほぼ統一するような国の指導者になっていました。

また、「カエサルのものはカエサルへ」という言葉に象徴されるように、政教分離を基本とするキリスト教に比べて、イスラム教はどのような政治をするかかなり具体的な指針を示しています。

このために、国家というものが成立するにいたらなかった東南アジアのようなところでは、イスラム教の流入によって宗教的な権威を持った君主のもとではじめて国家ができたということもありました。未開地域で、簡単に中世的な社会をつくれる優れものなのです。その意味で、イスラム教の成立と発展は世界史的な意味が非常に大きいし、一方では、現代にあっても中世社会の温存につながる宿命でもあるのです。

18 ― 世界で初めて愛を説いた仏教とアショーカ王

インドに侵入してきたアーリア人たちの宗教はバラモン教でした。人間は生まれ変わりを繰り返すという「輪廻」を信じ、悪い来世を避けるために「解脱」しようと考え、神秘的なものが好まれ、苦行を重視します。

厳格なカースト制度を敷き、宗教指導者であるバラモン階級が最上位とされました。社会的停滞の原因になりましたが、階級同士の連帯が強いことが、民族同士の対立を激化させないメリットでもありました。ところが、前5世紀ごろになると中産階級を中心に不満が高まり、そのなかで生まれてきたのが仏教なのです。

ブッダ（前463?～前383年?）は、現在はネパール領になっているルンビニーで生まれました。モンゴル系の部族ともいわれています。29歳のときに妻子を捨て城を出て、厳しい修行のあと悟りを開き、80歳で死ぬまで教えを説きました。

新しい宗教を開いたつもりはなかったのですが、弟子たちやそれに続く人が徐々に宗教としての体裁を整えていき、ブッダ入滅の100年後に生を受けたといわれるアショーカ王によって国家的庇護を受け、世界的な宗教へ発展していきました。

アショーカ王はガンジス川中流にあったマガタ国で生まれました。祖父のチャンドラグプタが国王になったのは、北インドに侵入したアレクサンドロス大王が死んだ直後のことで、シリアのセレウコス朝に500頭の軍象を提供することと引き換えに北インドの支配権を認められました。

アショーカ王は、王位の継承にあたって、多くの兄弟を殺し、東部オリッサ地方を征服したときは、数十万人を殺しました。この悲惨な戦争を機に人生観を変え、仏教へ入信したとされます。ダルマ（法）による統治を目指し、殺生や肉食の禁止、年長者や父母を大事にして礼儀正しくする、布施を怠らない、奴隷や貧民も大事にするなどを人々に要求しました。世界史ではじめての政治における人類愛の実践でした。

仏舎利を細かく分けて各地に塔を建て、第3回の仏典結集を行って教えの確立を試み、西方や南方への普及につとめました。ただ、バラモン教などほかの宗教との衝突を避けたので、カースト制度は温存されました。

この時代のインド文化は、アケメネス朝ペルシャやギリシャの強い影響があり、壮麗な宮殿や各地の円柱、岩を削って事蹟を記すなどの事実は、アショーカ王の生きた時代がヘレニズム期であることを示しています。優れた行政組織をつくり、インド亜大陸の最南端を除きますが、現在のパキスタンやバングラデシュを含む地域を統一しました。しかし、帝国は長続きせず、インド人自身による統一国家は、1947年のインド独立までありませんでした。

仏教は、南方に伝わって上座（小乗）仏教となり、北西インドでは自らだけでなく人々を広く救うことを強調した大乗仏教が発達し、紀元前後には、ハイバル峠の両側のアフガニスタンやパキスタンで、ガンダーラ文化が栄えました。

大乗仏教が発展し、ギリシャ彫刻の影響のもとで仏像がつくられたのはここで、その意味で日本にまでその影響は及びました。とくに、クシャーン朝のカニシカ王（2世紀）は敬虔で模範的な仏教徒として現代日本でも尊敬されています。

クシャーン朝は、ササン朝ペルシャに圧迫され分裂し国勢は振るいませんでしたが、4世紀のグプタ朝になると古代インド文化が最後の輝きを示しました。その本拠地はマウリヤ王朝と同じガンジス川中流域で、パータリプトラを都にしました。

アショーカ王の栄光の再現を意識していたことは、創始者がマウリヤ朝と同じチャンドラグプタを名乗ったことに現れています。2代目のサムドラグプタが北インドの主要部を統一したあと、3代目のチャンドラグプタ2世（在位376~415年）が、アラビア海に面したクジャラート方面にまで勢力を伸ばしました。

行政組織も、直轄領では中央集権的な官僚制や地方制度がとられ、金貨も鋳造されました。仏教も盛んで、唐などから多くの学僧が来ましたが、バラモン教が大衆化して民間信仰を広く取り込みヒンドゥー教に変身していきました。

ヒンドゥー教は、地域や職業ごとに、それぞれの悩みに答えてくれる神を信仰し、神仏混交した廃仏毀釈以前の日本仏教に近いところもあります。欲望から離れて精神の自由を得るのが特色で、ヨガの世界に象徴されています。

カースト制度も多くの人が職を得られるメリットがあります。現代インドでも、金持ちは召使いをやたら使うのですが、分業がはっきりしていて、一人ひとりは決まったことしかしません。煩わしいですが、この仕組みで、雇用が多く生まれるのです。

文化ではインドらしさが大事にされ、二大叙事詩『マハーバーラタ』『ラーマーヤナ』、性愛書『カーマスートラ』、そして『マヌ法典』が成立し、演劇や宗教説話が盛んでした。

西方的なガンダーラ美術とは違って、アジャンター石窟の壁画や、のちに日本に伝わって嵯峨野清涼寺本尊になった釈迦如来像にみられるように、薄い衣がぴったりと身体にまきつく彫刻が好まれました。数学や天文学が発展し、「ゼロの発見」もこのころです。

19 ― 中国仏教全盛の南北朝時代と日本への伝来の経緯

中国における仏教伝来は、後漢2代目の明帝の時代に二人の僧が、白馬に乗り『四十二章経』という経典を携えて、都の洛陽を訪れたときとされ、いまも洛陽に白馬寺という寺院があります。シルクロードを通じてパルティアあたりから商人たちが持ち込んだと見られますが、本格的な隆盛が始まったのは、そのあとの三国・晋・南北朝の時代です。

中国では、三国時代の混乱のあと晋（西晋）がいったん統一したのですが（265年）、北方民族の軍閥に逐われて、江南の建康（南京）に移りました（317年以降は東晋）。華北は五胡十六国の混乱に陥りますが、鮮卑族の北魏が華北を統一した439年からは、南北朝時代と言い、隋が中国を再び統一する589年まで続きます。

三国時代から華北で異民族が台頭したのは、西晋で皇族たちが争った「八王の乱」で、競って胡族の軍人を雇ったのがきっかけです。ローマ帝国におけるゲルマン人傭兵隊長と同じように、彼らが主人公になってしまったからです。

漢末の争乱と江南への移住で、黄河流域の人口は減り、漢帝国の全盛期の10分の1しかないという状態になっていました。そこで、農業生産のためにも兵士を確保するためにも移民を受け入れることも必要でした。匈奴、鮮卑といったこれらの少数民族は、現代ではほとんど漢族、一部はモンゴル族やウイグル族のなかに吸収されてしまっています。

この時代には、西域から仏図澄《ぶっとちょう》（２３２～３４８年）や鳩摩羅什《くまらじゅう》（３４４～４１３年）などの高僧がやってきて、仏典の漢訳も始まり、中国人に受ける分かりやすいものへ変容してきました。五胡十六国時代の華北で、多くの国が仏教を受け入れたのは、ユニバーサルな思想である仏教が漢民族でない彼らにとって受け入れやすかったからです。また、仏教はエキゾティックな建築、仏像仏具など工芸、それに、食事や音楽なども一体となったものです。その意味では西域文化がワンセットで中国に入ってきたともいえます。

北魏では、５世紀の前半に北魏の太武帝が甘粛省にあった北涼国を滅ぼしたとき、僧侶３０００人を捕虜として首都平城に強制移住させて広まりました。平城近郊の雲崗《うんこう》に巨大な石窟寺院が造られ、都が洛陽に移ると、１３６７の寺院が建設され、面積の３分の１は寺院でした。

南朝でも仏教が盛んになりました。北魏では皇帝如来といわれたように、皇帝の権威を高めるために使われましたが、南朝では皇帝菩薩というように上流階級の人が心の平安を願うために重宝されました。晩唐の詩人杜牧《とぼく》は、この時代をしのび「江南春絶句」で「千里鶯啼きて緑紅に映ず　水村山郭酒旗の風　南朝四百八十寺　多少の楼台煙雨の中」という夢幻的な美しい情景を詠《よ》みました。貴族たちは大規模な荘園を構え、弱体な帝権に媚びずに気ままに贅沢な暮らしを楽しみました。

しかし、仏教は金食い虫です。とくに、土地も建物も贅沢に使い、莫大な金属も使います。結果、財政が傾いたり、通貨用の銅が足らなくなることもありました。そうしたなかで、インドで仏教に刺激されてバラモン教が進化してヒンドゥー教として復活したように、道教が成立してきました。また、儒教も宗教的な儀式を伴っていましたから、中国では、仏教、道教、儒教がそれぞれの形で共存し発展しました。

北魏は、満州北西部の山岳地帯からおこった鮮卑族というモンゴル人に近い部族が建てた国です。万里の長城より北の地域にいましたが、匈奴などが南下したあと、西晋に協力して内蒙古から山西省北部を領土として認められました。

398年に、盛楽（内蒙古）から平城（大同）へ遷都し、皇帝を名乗りました。これが道武帝です。全盛期は6代目の孝文帝のときです。493年に洛陽遷都を宣言し、均田制の実施、胡服の禁止、姓の中国風への変更、漢族との通婚も奨励しました。

北魏が滅びたのは、なんともグロテスクな経緯です。鮮卑族には、外戚の強大化を避けるため、皇太子の生母は自害させるという習慣がありました。孝文帝の母もそうでした。それを孝明帝の母の胡太后《こたいごう》のときから廃止したのですが、孝明帝が爾朱栄《じしゅえい》の力を借りて胡太后から権力を奪おうとしたところ、皇帝は急死し母が殺したと噂されました。爾朱栄は胡太后とその取り巻き2000人以上も黄河に投げ殺しました。これをきっかけに政争が激化し、北魏で漢族出身の大貴族だった楊堅《ようけん》が隋を建国して華北の主になりました。

北魏では各民族の混血化が非常に進んでいて、北魏の中興の祖である孝文帝の場合でいうと、

「64分の51」が漢民族の血でした。

日本文化のルーツというと、仏教は南北朝のうち南朝から百済経由ですが、律令制度のモデルになったのは、南北統一を実現した隋帝国のそれでした。また、その後の隋と唐の時代に仏教が盛んだったことも、日本に大きな影響を与えました。

南北朝時代は、大和朝廷と南朝のあいだで、国交が開かれた時代です。このころ朝鮮半島北部では楽浪郡や帯方郡は313年に、満州方面で成長していた高句麗に滅ぼされ、同じころ日本列島では、大和朝廷が北九州を支配下におさめて日本列島を統一し、朝鮮半島南部に進出し始めました。

そのころの半島南部は、馬韓、弁韓、辰韓《しんかん》といわれる部族がいましたが、いずれにも統一国家は成立していませんでした。ただ、馬韓から百済が、辰韓から新羅が徐々に成長していきました。弁韓とその周辺は、日本の勢力圏（任那）になっていきました。

百済と新羅は日本に従ったり高句麗についたりしましたが、百済は日本に従属的ながらも良好な協力関係にあることが多く、新羅はついたり離れたりだったことが、高句麗王の顕彰碑である好太王碑に記されています。

高句麗は北朝との交流が盛んで、日本や百済は南朝との関係が深くなりました。とくに、日本は、倭王珍《わおうちん》（反正天皇あるいは履中天皇）が438年に「倭・百済・新羅・任那・加羅・秦韓・慕韓六国諸軍事」の肩書きを要求し、南朝の皇帝は451年になって、倭王済《わおうせい》（允恭天皇）に南朝と国交を持っていた百済を省いてこれを認めました。つまり、忠清・全羅・慶尚道あたりについての日本の支配権ないし宗主権を認めたということです。

しかし、百済（京畿道）についても宗主権を認めて欲しい倭王武《わおうぶ》（雄略天皇）は執拗に南朝の皇帝に迫りますが、南朝ではこれを受けませんでした。そこで雄略天皇は南朝との国交で得るものはないとして国交を絶ち、百済を通じて中国人を招聘し、中国文明を取り入れることにしました。百済は、いうならば、文明の総合商社として機能しました。

また、百済は高句麗に圧迫されて、475年に首都を置いていたソウル付近を逐われ、忠清南道の熊津付近を日本から与えられて国を再建しました。さらに、全羅道方面（任那四県）も日本から割譲されました。しかし、これに地元の任那諸国は反発し新羅と結ぶものが出て、それが新羅の圧迫を受けての任那滅亡に繋がります。

結局のところ、6世紀には、ソウル以北を高句麗、南東部を新羅、南西部を百済が支配しました。これが、いわゆる三国時代です。

20―キリスト教はローマ皇帝にとって都合がよい宗教だった

イエス・キリストが生まれたのは、ローマでのアウグストゥスの治世の末期であり、布教したのは、ティベリウスが皇帝だった時代です。ローマでペテロやパウロが殉教したのは暴君ネロが皇帝だった時代です。そして、キリスト教がミラノ勅令で公認されたのは、コンスタンティヌス1世の

313年になってのことでした。

ギリシャやローマの神々を崇めることは、さまざまな恐怖から逃れることには役立ちましたが、みんなが幸福になるための社会変革には繋がりませんでした。それに応えたのが、ユダヤ教のメシアによる救いという革命論でした。平安仏教が加持祈祷などで上層階級には人気があったものの、庶民の悩みに応えられず、鎌倉仏教が生まれたのと同じです。

ただ、ユダヤ教は民族宗教ですし、戒律が厳しすぎたり割礼など変わった習慣もあったので広がるのは無理でした。ところがイエスの説いた教えは、そのあたりがソフトでしたし、ローマ市民パウロは、ヘレニズム社会で広く受け入れられるような教えにする工夫をしてギリシャ語の教典もつくりました。これが新約聖書の始まりです。

とはいえ、200年くらいは、キリスト教も多くの新興宗教のひとつに過ぎなかったのです。キリスト教が勝利した理由は、キリスト教が心の平安をだいじにする一方で、「カエサルのものはカエサルへ」といって、強い皇帝の権力と衝突しない知恵を持っていたからです。皇帝が教会の保護者になってしまえば、権力にとって好都合な宗教だったのです。それがコンスタンティヌスがキリスト教徒になった裏にありました。

中世になると西ヨーロッパでは、ローマ教会が、皇帝に対してすら威圧的になったり、政治に介入することが多くなりました。しかし、東ローマ帝国や、そのまた、継承者といえるロシアでは、正教会は精神的な自由にはこだわるものの、政治には介入しませんでした。だからこそ、オスマン帝国でもソ連でも生き延びることができたのです。

ローマでは五賢帝の時代ののち軍人皇帝がかわるがわる擁立されましたが、よく知られた皇帝には、ローマ郊外の大浴場と属領の住民にも全面的に市民権を認めたことで知られるカラカラ帝（在位198～217年）と、ササン朝ペルシャと戦って捕虜にされ皮剝の刑にされたバレリアヌス（在位253～260年）がいます。

ディオクレティアヌス帝（在位284～305年）は、帝国を四分割して二人ずつの正帝と副帝が統治するシステムにし、官僚制を整備する一方で皇帝をペルシャ風の専制君主として変貌させました。専制君主制（ドミナートゥス）といい、皇帝を「主にして神」と呼ばせました。

コンスタンティヌス帝の父は皇帝ですが、母はトルコあたりの出身らしいヘレナという身分が高くないキリスト教徒の女性でした。ローマ郊外ミルウィス橋の戦いを前にして、光り輝く十字架が夢の中に現れたと語り、十字をかたどった軍旗を作って勝利を収め、西の正帝になりました（311年）。「ミラノ勅令」を出して、キリスト教を公認したのはその翌年です。

21―現代日本にも生きるローマ法は東ローマ帝国で発展

コンスタンティヌスは旧《ふる》い神々の信仰が残るローマを嫌い、ギリシャ人の都市ビザンティウムに首都を移しました。ローマから膨大な芸術品がビザンツの地に運ばれ、第2のローマはキリスト教の都にふさわしい聖なる都市になりました。

アジアとヨーロッパの境界にあり、ギリシャ語圏であるこの地への遷都とキリスト教の公認は、東方でヘレニズムとローマ文明を1000年以上も継承する帝国を確立した一方、西ヨーロッパを見捨てた形になりました。のちにローマ教会は、コンスタンティヌス帝から西方を預けられたという伝説を創り、教皇権の根拠としました。

コンスタンティヌス帝は、キリスト教の教義の一体化を図り、325年に開かれたニケア教会議では、キリスト単性論（イエスは神ではないということ）が否定され、三位一体論に統一されました。

また、このころ、行き詰まった奴隷制に代わって、コロナトゥスと呼ばれる自由な移住が禁止された農奴を使った封建的な農村体制が出来上がりました。日本の江戸時代の農民に近い身分で、奴隷が成り上がったケースもありましたが、普通の自由な農民が没落してコロナトゥスになることもありました。

いずれにせよ、コンスタンティヌス帝と母であるヘレナはキリスト教世界で深く敬愛されることになりました。ヘレナは聖地へ赴き、キリストが架けられた十字架とかベツレヘムにあった馬小屋の飼い葉桶など聖遺物を集めてローマに持ち帰り中世の人々から珍重されました。のちにイタリア王権の象徴となるロンバルディアの鉄王冠は、キリストが打ち付けられた釘なるものを引き延ばした鉄板を内側にあしらったものです。

このコンスタンティヌス帝から半世紀ほどのちに、再び英邁《えいまい》な皇帝が現れました。テオドシウス1世（在位379～395年）で、東西併せた帝国ただ一人の皇帝となりました。キリスト教を国教として定め、ゼウスに捧げられてきた古代オリンピックを廃止させました。393年のことです。西ローマ帝国が滅亡したのは、476年のことです。そして、496年になって、フランク王クロービスがローマ・カトリックに改宗して、西ヨーロッパの中世が始まります。

この大転換のきっかけをつくったのは、民族大移動でした。民族大移動といえば375年と世界史で憶えさせられます。黒海北部にあったゲルマン系の東ゴート族がアジアからやってきたモンゴル、ないしトルコ系のフン族に圧迫され移動を開始した年です。これがきっかけになって、西ゴート族が玉突き式にドナウ川を渡り、ほかのゲルマン諸族が移動を繰り返すことになりました。

かつて、フン族は古代中国で漢帝国と争い逐われた匈奴の後裔ともいわれましたが、証拠はありません。遊牧民で、頭はスキンヘッドでした。ゲルマン族は長髪をシンボルとして、また、それを切られるのを極度に嫌いましたから対照的でした。

フン族の王アッティラ（406頃～453年）は、背は低く頭が大きく、くすんだ黄色の肌で、鼻は低く髭は薄かったといいますから、いかにもアジア系です。規律は保たれ、人種にかかわらず登用され、戦利品は広く分け与えられたといいます。

西ゴート族のアラリック王がイタリアへ侵入し、西ローマの皇帝はポー川の三角州にある要害の地であるラベンナに避難しローマは大略奪にあいました。西ゴート族は、やがて、南フランスからスペインに定着し、ツールーズ（のちにトレド）を首都とした王国を建設し、さまざまな経緯ののちにスペイン王国に繋がっていきます。

このころ、フン族はローマ帝国の同盟者でした。西ローマの将軍アエティウス（スキタイ系の軍人とローマ女性の子）は、ライン川流域にあったブルグント王国を攻めたとき、フン族の傭兵部隊を使って大虐殺を行いましたが、これが、ワグナーの楽劇「ニーベルングの指輪」、とくに、「神々の黄昏」の下敷きになった事件です。

アッティラは、ローマ帝国から与えられていたハンガリーを根城に、ギリシャなど東ローマ領内を荒らし回り、ついで、西ローマ皇帝の妹であるホノリアが、家族との喧嘩の腹いせにアッティラに求婚の手紙を送ったのを口実に、西ローマ帝国の半分を嫁資《かし》として要求して攻め込んできました。

将軍アエティウスは、西ゴートと組み、フランス・シャンパーニュ地方のカタラウヌムの戦いでアッティラに勝利しましたが、アッティラは、イタリアを荒らし回りました。しかし、ローマ教皇レオ1世の使節団が、ベネチア近郊アクィレイアで貢ぎ物と引き換えに撤退を決めさせました。これを教会は神の威光にひれ伏したと喧伝し、その会談の場面はラファエロら後世の画家たちに好んで描かれています。

アッティラはハンガリーへの帰途、若い女性を後宮に迎える祝宴の最中に急死し、遺体はドナウ川の底に沈められました。ハンガリーの名はフン族にちなみますし、アッティラを建国の英雄として崇拝しています。

しかし、アッティラの脅威が去っても西ローマ帝国の衰退には歯止めがかけられず、ドナウ川中流域出身のゲルマン人で、傭兵隊長だったオドアケルに476年に滅亡させられました。オドアケルは東ローマ帝国から総督に任命されましたが、東ゴート王国のテオドリック大王によって493年に滅ぼされました。

ローマ帝国の遺産としてもっとも感動的なのは、素晴らしい土木技術です。南フランスのプロバンスにあるポン・デ・ガールやスペインのセゴビアの町にある水道橋、あるいは各地の円形競技場や大浴場など、どれも素晴らしいものです。

しかし、目に見えないもので最大の遺産がローマ法です。ローマ人は公正さを大事にし、法を尊重する文化を持っていました。これが現代に至るまで大きな影響を残したのは、ユスティニアヌス大帝（483～565年）による「ローマ法大全」のおかげです。

現在と過去の勅法を集め、学説集や初心者用の解説も付し、これをもとに法学教育を施す学校をコンスタンティノープル、アテナイ、ベイルートに置きました。このローマ法大全は市民間の法原則を示したものとして、中世から近世にかけて法律のように扱われ、近代のナポレオン法典やドイツ民法典に影響を与えました。それをモデルとした日本の民法の原点もここにあります。契約とか債権債務の考え方はここから出発しています。

ユスティニアヌスは、ローマ帝国が最終的に東西分裂してから132年後の527年に東ローマの皇帝になりました。現在の北マケドニア共和国の生まれで、母の弟が皇帝になっていたので、叔父の側近として活躍し皇帝になりました。

妻のテオドラは、サーカスの熊調教師の娘で、淫らなダンサーでしたが、観客だったユスティニアヌスは一目惚れし、身分違いの結婚を禁じた法令を皇帝に変えてもらい結婚しました。テオドラは聡明な女性で、首都で争乱が起き夫が船で逃げだそうとしたときに、「もし陛下が、命が助かることをお望みなら、私たちはお金を持っていますし、目の前には海があり船があります。しかし、そこまでして生き延びたところで良かったと言えるでしょうか。私は『帝衣は最高の死装束である』という格言が正しいと思います」と言ってのけて夫を留めました。テオドラについて『ローマ帝国衰亡史』のギボンは「最下層の女性たちの中から見出されたもっとも純潔で高貴な女性」と賞賛しています。

ユスティニアヌスは有能な官僚や軍人を駆使し、帝国を安定させ、チュニジア付近のバンダル王国を滅ぼし、イタリアを支配していた東ゴートを追いローマを回復しました。ラベンナ（西ローマ帝国最後の首都）には八角形の聖ビターリ聖堂を建設しました。皇帝とテオドラ皇后の美しいモザイク画は美術史の教科書などにも必ず出る名品で、徳島県鳴門市にある大塚国際美術館に立体的に再現されています。また、この教会堂《バジリカ》は、アーヘンにおけるシャルルマーニュ（カール大帝）の礼拝堂のモデルにもなりました。

しかし、皇帝の死後、イタリアはランゴバルド族の侵入で失われ、エジプトも次の世紀にイスラム帝国に征服されました。

22 西ヨーロッパを誕生させたクロービス王の改宗

西ローマ帝国が滅びたころ、アルプスの北側では、フランク族が力を伸ばし、クロービス王がカトリックに改宗したのは496年です。場所はシャンパーニュ地方のランスで、歴代のフランス王の戴冠式の場となります。ジャンヌ・ダルクがシャルル7世を戴冠させたのもここで、1825年にシャルル10世の戴冠式を題材にロッシーニはその最高傑作ともいわれるオペラ「ランスへの旅」を作曲しました。

フランク族は、ライン川の河口付近にいた勇猛な部族で、「フランキスカ（投げ斧）」が語源とされ、優れた鍛冶の技術をもっていました。この改宗により、「中世ヨーロッパが始まった」「西ヨーロッパが誕生した」といわれます。

このころ、南西フランスとスペインは西ゴート王国、イタリアは東ゴート王国、スイスとその周辺はブルグント王国と、いずれもキリスト教でも異端のアリウス派王国に支配されていましたが、ローマ教会は、クロービスがアリウス派に改宗してなかったのに目を付けたのです。王妃であるクロティルドは、ブルグンド王国の王女ですが、母からカトリックの信仰を受け継いでいました。実質的な西ローマ帝国の継承者となったクロービスは、西ゴート王国からツールーズやボルドーを奪ってイベリア半島のトレードに追いやりました。そして統一前の西ドイツに当たる領域も得ました。

クロービスは、パリに宮廷を構えました。王宮はシテ島の西の端を占め、修復を繰り返しながら存続し、現在は最高裁判所として使われています。511年に死んだとき、墓はカルチェ・ラタンのソルボンヌ大学の横、聖ジュヌビエーブに捧げられた教会のそばにつくられました。この教会は、現在では、作家ビクトル・ユゴーら国家的な功労者を祀り「パンテオン」と呼ばれています。ただ、クロービス1世の墓は、何世紀もの調査にもかかわらず発見されていません。

クロービスの後継者たちは分割相続を繰り返したこともあり強大化せず、このメロビング朝は東ローマ帝国に形式的には服属したままでした。

23―ササン朝ペルシャからシルクロードを通って正倉院

法隆寺にある獅子狩文錦《ししかりもんきん》とか、正倉院の漆胡瓶《しっこへい》や白瑠璃椀《はくるりわん》などは、いずれもササン朝ペルシャの産物だったり、唐でそれを真似てつくったものです。ヘレニズム文化に加え、インドなどの文化まで吸収し、古代文明の集大成というべきものでした。

東ローマ帝国で古代ギリシャの思想が弾圧されたら学者たちを保護しましたし、651年に滅亡したのちには、唐に多くのペルシャ人が移住しました。そのおかげで、エキゾティックな絹織物、ガラス器、水差し、絨毯や幾何学模様が日本にも伝来しましたし、中東にあっては、イスラム文化の基礎にもなりました。

メソポタミアはローマの支配下には短期間しか入らず、イラン北西から出たパルティアが支配していました。ペルシャ系ですが遊牧民族で、蹄鉄《ていてつ》を発明したことで知られています。前248年にセレウコス朝シリアから独立して、イラン高原からメソポタミアに進出し、イラクのクテシフォン（バクダッドのチグリス川下流）を都としました。

カエサルのライバルだったクラッススを戦死させたり、五賢帝の時代のローマと争ったのはこの国です。しかし、3世紀になって、同じペルシャ系ですが農耕民族のササン朝ペルシャに滅ぼされました（226年）。ササン朝もクテシフォンを都としました。

3世紀には西アジア全域にその支配を及ぼし、第2代シャープール1世（在位241～272年）のとき、強大となってアルメニアにまで進出しました。260年にはローマ帝国と戦って、エデッサの戦いで皇帝バレリアヌスを捕虜としました。背教者として知られるユリアヌス帝もササン朝軍との戦いでの傷がもとで死んでいます。その後、振るわない時期もありましたが、6世紀にはホスロー1世のもとで全盛期を迎え、東ローマ帝国のユスティニアヌス帝と戦いました。

ササン朝ではアケメネス朝ペルシャと同じゾロアスター教が国教になりました。教徒集団を統一し、偶像を破壊し、寺院の火のみを崇拝するようにしました。キリスト教や仏教の影響も強くなり、シャープール1世がキリスト教や仏教と融合したマニ教に傾倒したこともありますが、その死後は、ゾロアスター教が勢力を取り戻し、『アベスター』という教典を編纂し、これを通じてペルシャ語の公用化が進みました。

24 アラブ商人たちの活躍とイスラム教の誕生の裏事情

ムハンマドが生まれたころの中東では、東ローマ帝国とササン朝ペルシャが激しく争っていました。このために、メソポタミアからペルシャ湾を通る東西通商路は衰退し、シリアからイエメンまでの陸路、そして、アラビア海とインド洋を経由する航路が安全な通商路として栄え、ダマスカスとアデンの中間に当たるメッカは商業の拠点で、多神教の重要な聖地でもありました。

ムハンマドはハーシム家という一族に属していました。早く父母を亡くして、親戚のところで育てられたのですが、12歳のときにシリアにはじめて行商に行き、キリスト教にも触れました。ハーディシャーという富豪の未亡人に気に入られて結婚し、豊かな生活を送るようになりました。

このころアラビア半島にもキリスト教やユダヤ教が入ってきており、人々を惹きつけていました。東ローマとササン朝という二大帝国に衰えが見られ、商業的には栄えたアラブ人の社会ですが、拝金主義などにより貧富の差が拡大したりして生活態度も乱れており、終末論が説得力をもったのです。

ムハンマドは商売の第一線を引退して、メッカ郊外の洞窟で瞑想にふけり、610年、「汝はアラーがつかわせた預言者である」という啓示を受けました。はじめのころの教えは、「最後の審判にそなえ、生活や行いを反省せよ」といった程度のものでしたが、伝統的な神を否定したことは摩擦を生みましたし、妻や叔父が死んだことでメッカ地域社会での後ろ盾もなくなりました。

ムハンマドは、メッカの北東にあるメジナの町から内紛の仲裁者として招聘されたのを機会に信者とともに引っ越しました。622年のことで、これをヒジュラ（聖遷）と呼びます。メッカからの隊商を襲ったり、差し向けられた大軍を破り、メッカ側についたメジナ在住のユダヤ教徒と衝突して、これを弾圧しました。そして、それまでエルサレムを向いて礼拝していたのをメッカの方角に変更しました。

630年にはアラビア半島各地から集めた兵でメッカを囲み降伏させ、カーバ神殿の偶像を破壊しました。このびちもムハンマドはメジナに住み、各地から集まった信者たちに、メッカを向いての祈り、毎日五度の礼拝、金曜日の共同礼拝、喜捨、ラマダンの断食という五行を定めました。信者としてすべきことの分かりやすさもイスラム教が現代でも信者を増やしている理由です。

25―植民地時代以前にアフリカにあった古代と中世の王国

広大な不毛の地であるサハラ砂漠がアフリカ大陸を二分し、その北にはコーカソイド（いわゆる白人）の一派であるアラブ人などが、南にはネグロイド（黒人）がいました。境界地域や東アフリカのインド洋沿岸では混血が進み、肌の色は明るいのです。

最大の言語集団はカメルーンを起源として東アフリカにまで拡がるバントゥー語系で、東アフリカでアラビア語の影響のもとで体系化されたスワヒリ語も含まれます。

スーダンは、アラビア語で黒い人という意味でサハラ砂漠以南の黒人居住地域を指します。西アフリカでは、岩塩と金の中継貿易による富を背景に、比較的早くから強力な王国が現れました。モーリタニア東部を中心にしたガーナ王国が4～11世紀、マリ帝国がニジェール川上流のニアニを首都として13～15世紀、ナイジェリア北部まで含むソンガイ帝国が15～16世紀にかけて繁栄し、東アフリカでは、アラブ人が沿岸部に根拠地を設けて内陸部の現地人と交易していました。

アメリカに輸出された黒人奴隷は、中米に500万人、ブラジルに500万人、その他の南米に100万人、北米に50万人ほどといわれます。奴隷の輸出にはアフリカ人自身が深く関わり、現在のナイジェリアにあったベニンはポルトガルから鉄砲など兵器を輸入し、周辺地域の同朋を奴隷として売り渡し、高度な文明を築いていました。

ただし、奴隷狩りをしたのがアフリカ人だったといっても、それは欧米人にとっては、自分たちの責任を逃れる理由にならないと考えられていることは大事です。たとえば、慰安婦問題などでそういう観点から少し危ない議論をする人がいるので念を押しておきたいと思います。

第四章

民族移動・宗教政治・商人の活躍

パリのノートルダム大聖堂（フランス）

26―ムハンマドが生きた時代の世界はこうなっていた

フランク王国がイスラム勢力を撃退し、カール大帝が西ローマ帝国の復活ともいうべき帝国の皇帝としてローマ教会から認められた8世紀中盤から9世紀前半に至る時代、地球規模で大きな転機が訪れていました。

ビザンツ帝国における偶像禁止令はローマ教会との対立を深刻なものとしました。偶像崇拝を厳しく否定するイスラム教徒への対抗上、必要なことだったのですが、ゲルマン族への布教には偶像は不可欠であり、ローマ教会にとっては迷惑なことでした。

イスラム帝国では、ウマイヤ朝がアッバース朝に倒されましたが、残党がスペインのコルドバで独立しました。

中国では安禄山の乱（755～763年）が起きて唐の全盛期が終わり、日本では平城京で天平文化が栄え、やがて、平安京が建設された時期です。

つまり、イタリア、レパント（東地中海）、メソポタミア、中国といった古くからの文明圏はそれぞれ栄えていましたが、その外縁に、フランク王国、後ウマイヤ朝、日本といった新興の文明国が成立していった時代だったというわけです。

イスラム軍は718年にピレネー山脈を越え、732年にはボルドーを占領しました。これを見て、フランク王国の宮宰カール・マルテルはフランス中部のトゥールに布陣し、イスラム軍はポワティエに進出して戦いが始まりました。フランク王国軍は盾を並べた密集陣で騎馬隊を防いで勝利し、西ヨーロッパはイスラム教支配に屈することなく救われました。

そしてカール・マルテルの孫のシャルルマーニュ（カール大帝）はローマ教皇から皇帝として戴冠され、その領土が相続で分割されたところからフランス、ドイツ、イタリアが生まれました。さらに、十字軍の派遣を通じて東方の文明が西ヨーロッパにもたらされ、やがてルネサンスが開化していくことになります。

また、751年のタラス河畔（キルギス共和国）の戦いでは、唐とイスラム帝国軍が衝突し、唐軍が勝ちましたが、このときに紙の製法がイスラム軍に伝わりました。

つまり、イスラム教の世界制覇は実現しませんでしたが、この時代には、イスラム圏が世界の文明の中心でした。また、唐は国際的に開かれた開放的な国家で、イスラム帝国に滅ぼされたササン朝の文化も良く継承しました。そして、日本にも唐から伝えられたペルシャの文物は正倉院御物のなかでも白眉とされています。

27　神聖ローマ帝国とはなんのことなのか

スペインは、フランク王国にルーツを持つフランスやドイツ、イタリアと違って、イスラム帝国に滅ぼされた西ゴート王国の残党が建てた国です。西ゴート王国の首都は、はじめフランス西部のツールーズでしたが、フランク王国のクロービス王に追われて、のちに画家エル・グレコが暮らしたことでも知られるスペイン中央部トレドに移りました。

この西ゴート王国の北アフリカの防御拠点が、いまもスペイン領になっているセウタでした。ところが、ここの総督フリアン伯の娘フロリンダを、美しさに目がくらんだ西ゴートのロドリーゴ王が犯したので、怒ったフリアン伯がイスラムに寝返ってしまいます。イスラム帝国軍はジブラルタル海峡を越えて攻めてくると、あっという間に、イベリア半島のほぼ全域がイスラム化されてしまいました。

このころ、フランク王国ではクロービスの子孫であるメロビング朝が2世紀半を経てまだ健在でした。しかし、メロビング朝は、信心厚く教会に寄付もしてくれましたが、守護者としては、いささか頼りなかったし、あくまでもコンスタンティノープルの皇帝の権威の下でのことでした。

カール・マルテルが東ローマ帝国の援助なしでトゥール・ポワティエの戦いで勝利を収めたことで、カロリング家は教会の守護者として期待され王朝交替になりました。

このころ、イタリアはアリウス派のランゴバルド王国の支配下にありました。首都はミラノの南にあるパビアという町で、この王国の名はロンバルディアという地方名として残っています。イタリア半島のほとんどを支配下に治めましたが、ローマとラベンナを結ぶ回廊地帯については東ローマ帝国と教会のために残していました。

しかし、ランゴバルドがラベンナを横取りしたので、教会はカール・マルテルの子でメロビング朝に代わり王となっていた小ピピン（ピピン3世）の支援を求め、小ピピンはランゴバルドから取り返したラベンナを東ローマ皇帝でなく教皇に寄進しました（756年）。これが現在のバチカン市国まで続く教皇領の始まりです。

そして、小ピピンの子のシャルルマーニュ（カール大帝）は、ランゴバルド王国を滅ぼして、自分でこの国の王を兼ねることにしました。そののち、800年のクリスマス、教皇はサン・ピエトロ寺院でシャルルマーニュに皇帝としての帝冠を授けたのです。

もっとも、教皇が帝冠を授ける立場かどうかは当時としても疑問であり、しかも、ビザンツ皇帝の了承のないままでは僭称《せんしょう》と受け取られかねないので、カールはビザンツ帝国の女帝イレーネに求婚するなど、さまざまな工作をしたあげく12年後になって、ベネチアなどの東ローマ帝国の返還と交換に皇帝位を承認されました。

この帝国は孫の代になってベルダン条約が843年に結ばれ、皇帝ロタール1世がイタリアと帝都アーヘンを含む仏独回廊地帯からなる中フランク王国、残りの二人がドイツとフランスの基となった東西のフランク王国を得ました。

このうち、もともと地理的に無理があったロタール1世の領地は、その子供たちであるロドビゴ（イタリア）、シャルル（スイスを中心とするブルグンドと南西フランスのプロバンス）、ロタール2世（仏独回廊地帯。ロレーヌ地方となるロタリンギアは彼の名による）に分割されました。

さらに、シャルルの遺領は、ブルグンドとプロバンスに分裂し、ロタール2世の死後は、その遺領を東フランク王国と西フランク王国が継承しました。そして、東フランク王国が発展してイタリア、ブルグンド、プロバンスを含む神聖ローマ帝国が成立しました。小さいが比較的まとまりの良いフランスと、巨大だがまとまりの悪いドイツの誕生ですが、ライン川という自然国境を得られなかったことがフランスにとって、頭痛の種になり、ナポレオン戦争や二度の世界大戦にまで繋がっていきます（34ページ地図参照）。

シャルルマーニュ（カール大帝）のことを、フランス人もドイツ人も自国人だと言いたがりますが、なぜかフランスではメロビング朝のクロービスを初代国王とするのに、ドイツ人はそうしません。東フランク王国でカロリング家が断絶したのち、フランケン公だったコンラート1世（在位881〜918年）がドイツ王として選ばれたとき、あるいは、そのあとのザクセン家ハインリヒ1世から数えることが多いのです。

しかし、それ以上に重要なのは、ハインリヒ1世の子のオットー1世です。オットーはドイツ王に選ばれ、シャルルマーニュの宮廷があったアーヘンで戴冠式を行いました。

さらに、950年にイタリア王ロターリオ2世の未亡人であるブルグンドのアデライーデを自分の妻とし、イタリア王を称しました。

マジャール人がドイツに侵入したときは、955年、レヒフェルトの戦いで勝利を収め、「キリスト教国を異教徒マジャールの禍から救った聖なる戦士」とされました。さらに、イタリアの混乱で窮地に立った教皇ヨハネス12世から救援を求められたオットーはローマまで遠征し、962年に、教皇から皇帝の冠を受けました。「神聖ローマ帝国の誕生（名称としては13世紀になってから）」です。毒舌で知られる啓蒙時代の哲学者ボルテールから「神聖でもローマでも帝国でもない」と評されましたが、それでもナポレオン時代まで生き延びました。

オットーは、聖職者に世俗的な権力を行使させてそれに影響力を行使し、末弟であるブルーノは、ケルンの大司教でありながらロレーヌ領主を兼ね、フランスの前身である西フランク王国の摂政まで兼ねました。

オットーはアデライーデとの子であるオットー2世に東ローマ帝国の皇女テオファヌを嫁として迎えました。テオファヌは誇り高く有能で、子であるオットー3世をローマ人として育て摂政となりました。こうしてドイツとイタリアを併せた帝国ができたのですが、世襲が慣習として確立せず、ドイツ国王を諸侯が選び、教皇から認められれば皇帝となるというだけの立場でした。

しかも、かぐわしく甘いイタリアの魅力にとりつかれた皇帝たちは、そこでの戦いのためにドイツの諸侯の力を借りなければならない立場になりました。このために、ドイツは、統一国家としての強力な権威には欠けるままになったのです。

そのかわりに、イタリアとの密な交流は、ゲルマン民族の文明化をもたらしました。ゲーテの文学も、モーツァルトの音楽も、神聖ローマ帝国というロマネスクな枠組みなくしては生まれなかったものですし、ローマ法がドイツ人たちの生活と人生を律することもこの帝国あってのことです。

28―アラビアン・ナイトの世界とバグダード

ムハンマド没後の、最高指導者はアラビア語でハリーファ（継承者、英語ではカリフ）と呼ばれて選挙で選ばれました。4代目までのカリフの時代は、正統カリフ時代（632～661年）と呼ばれ、その最後のカリフが、ムハンマドの従兄弟であり、また、娘ファーティマの夫だったアリーです。

アリーは、シリアを地盤にしたムアーウィヤと対立し、最後はイラクで殺されました。イスラム教シーア派は、このアリーの子孫たちを正統だと主張する立場であり、スンニー派はムアーウィヤがシリアに開いたウマイヤ朝を認めます。

ウマイヤ朝（661～750年）のカリフを世襲したウマイヤ家は、ムハンマドを生んだハーシム家のライバルでしたが、やがて協力者となっていきました。ダマスカスを首都とし、インダス川流域、中央アジア、マグレブ諸国、それにイベリア半島まで領土にしたのはこの王朝です。この時代にはアラブ人が特別扱いされ、それが力の源泉でもありましたが、ほかの民族からの反発は高まりました。

ウマイヤ朝を倒したムハンマドの叔父の子孫が治めるアッバース朝（750～1258年）は、バグダードを都として栄え、人種に関わりなくイスラム教徒なら平等に扱い、ギリシャ・ローマの伝統を引き継いだ科学技術を発展させました。ただし、ウマイヤ朝の王族がマグレブ（北西アフリカ）へ逃れ、やがて、スペインでカリフを称しました。

その都はコルドバで、当時、世界最大の都市とも言われました。そのモスクはメスキータと呼ばれ、一部改造して教会になっていますが、イスラム芸術の到達点を今に伝えています。また、同じアンダルシア地方では歌劇「カルメン」の舞台であるセビリアや、アルハンブラ宮殿があるグラナダも人気の観光地です。

イスラム帝国が勃興してきたとき、東ローマ帝国ではヘラクレイオス1世（在位610～641年）の時代でした。ササン朝ペルシャと戦い、いちどは取られたシリア・エジプトなどを奪回したのですが、ササン朝に取って代わった正統カリフ時代のイスラム帝国に636年にはシリア、639～641年にはエジプトを奪われました。

674～678年にはイスラム海軍によってコンスタンティノープルを包囲されましたが、秘密兵器「ギリシャの火」という火炎放射器を使って撃退し、レオン3世時代の717～718年の包囲も耐え抜きました。アッバース朝になってイスラム帝国の重心が少し東に移ると圧力は減りましたが、中東での存在感は回復しませんでした。

10世紀になると、アッバース朝も衰えてカリフの実権はなくなって、1055年にはセルジューク・トルコに征服されますが、カリフの地位は守られました。

テュルク系諸民族はモンゴル高原の西側にそびえるアルタイ山脈周辺の草原にあった騎馬遊牧民

ですが、中央アジアのトルキスタン（旧ソ連の中央アジア諸国と中国新疆ウイグル自治区にかけての地域）に定住してイスラム化し、やがて、現在のトルコ共和国の領土であるアナトリアにまで進出しました。

中国史においては、552年にアルタイ山脈西南から出たトルコ系の突厥《とっけつ》がモンゴル系の柔然《じゅうぜん》を滅ぼして可汗《かがん》を称しました。テュルク言語を初めて文字にしたのも彼です。そののち、ウイグルと称したりしたあと、9世紀になって、中央アジアにカラ・ハン朝（840～1212年）を成立させました。

これに先立ち、トルキスタンでは、9～10世紀にイラン系のサーマーン朝がこの地域で初めてのイスラム王国を開きました。ウズベキスタンのブハラを首都とし、トルコ人奴隷を教育してマムルークと呼ばれる主君に忠実な軍人奴隷として中東に輸出していました。

カラハン朝は、サーマーン朝の影響を受けて10世紀中ごろにイスラム教を受容し、999年にサーマーン朝を滅ぼしサマルカンドやカシュガルなど東西トルキスタンを領しましたが、12世紀中頃、モンゴル高原東部から移動してきた西遼《せいりょう》（カラキタイ。契丹の後裔）に併合されました。

セルジューク朝は、アラル海の近くのカザフスタン領内の出身で、ニーシャープール（イラン北東部）で1038年に建国しました。1055年にバグダードを占領し、カリフからスルタンの称号を与えられ、1071年のマンジケルトの戦いでは東ローマ軍を破り皇帝を捕虜にしました。

移動をよくして固定された首都とはいえませんが、イスファハーンが中心都市とされます。11世紀末のマリク・シャーのとき、名宰相ニザーム＝アルムルクのもとで最盛期を迎え、とくに教育体制の整備に大きな力を発揮しました。そして、エルサレムなどシリア・パレスチナ地方に進出し、これが、十字軍の引き金になりました。ただし、１０９９年に十字軍がエルサレムを占領したときには、エジプトにあってシーア派を信奉するファーティマ朝が聖地を支配していました。セルジューク・トルコは、のちに、地方政権に分裂し、衰退したところへモンゴル軍がやってきて消滅しました。

29―日本人が大唐帝国と長安の都が好きな当然の理由

官僚の採用を公正明大な試験で決めるという風習は、隋の「科挙」に始まります。名門の子弟が情実で登用されることになりがちな地方からの推薦制度をやめて、機会均等を確保しました。

貨幣の統一、府兵制（徴兵制）や均田制などを充実させて、強固な中央集権体制を築き、科挙を除いて日本でもよく似た制度が採用されることになります。中央政治機構は、三省六部にしましたが、三省は行政、立法、監察にほぼ該当し、三権分立となり、六部は各省庁に当たるものでした。奈良時代の日本における東大寺や国分寺の建設のモデルになった、大興善寺や全国諸州における舎利塔の建設が行われました。

唐の時代を時代区分すると、初唐は建国から則天武后が唐を廃して武周を建てたときを含み玄宗の即位のころまでです。盛唐というのは、712年に玄宗が即位してからの時期です。安史の乱などで統治は少し揺らぎましたが、文化的にはもっとも栄えたときです。李白や杜甫が活躍した時期です。中唐は安史の乱ののちの時代ですが、宦官などとの争いに手こずりました。晩唐は9世紀の半ばから、907年の滅亡までをいいます。

隋の文帝は名君でしたが、2代目の煬帝が暗愚で滅びてしまいました。それに代わったのが、同じように北魏の名門貴族で、西域への出発点である、隴西《ろうせい》（甘粛省）の出身だった李淵です。

その次男が李世民（太宗）で、これが、中国史上でも最高の名君という評判です。臣下のやりとりをまとめた『貞観政要』は、日本でも指導者の心構えの聖典とされ、最近ではWBC監督の栗山英氏の愛読書として話題になりました。守成の大事さ、率先垂範と自己コントロールの励行、臣下が諫言をしやすい環境を創ることなど、君主としての処世術の決定版的なものです。

外交においても、威厳を持ちつつ硬軟織り交ぜて相手の立場にも配慮したので、突厥など西北諸民族は唐の支配下に喜んで入りました。族長たちは太宗に「天可汗《てんかかん》」の称号を奉上したので、遊牧民たちの君主としても敬愛され、唐は久しぶりに異民族の侵入に悩まされず天下泰平を楽しみました。

隋が確立した国軍、大運河や長安・洛陽の都といったインフラも、科挙など近代的な行政制度がすでにありました。また、皇帝自ら質素倹約につとめ、派手な外征もしなかったので、減税も行え、均田制で庶民に農地を与えました。府兵制を維持し、周辺諸国にも恩恵を手厚く与えることもできました。

太宗を嗣《つ》いだ高宗の皇后だったのが即天武后です。自分の子供たちを排除して、国号も周と変えて女帝になりました（690年）。しかし、晩年には、中宗を復帰させて国号も唐に戻しました。歴史上、ただ一人の女帝ですが、儒学者に嫌われて皇統譜から抹消されました。日本でも神功皇后が大正時代まで歴代天皇にかぞえられていたのに消されたのと似ています。政治はまっとうで、科挙合格者で有能な人物に活躍の場を与えました。

それを継いだ玄宗は即天武后の残した有能な官僚を起用して、「開元の治」を実施しました。日本でいえば、平安時代の初期に似て、律令制度に微修正を加えて現実路線にして安定を図り成功しました。

経済は成長し人口も増え、人々の生活水準は上がったのですが、経済成長に見合うだけの税収構造が実現せず、租税負担率は低下し、人々は生活が常に良くなるのが当たり前と思い始めたのは江戸時代後期や現代の日本と同じです。世の中が贅沢になって宮廷人や官吏も給与アップを期待し、異民族の要求もますますエスカレートしました。

均田制は与える田畑がなくなって崩壊し、それとリンクしていた府兵制も行き詰まりました。志願兵を安く集めると異民族ばかりとなり、今度は彼らに政治が左右されてしまい、それに対抗できるのは、外戚や宦官だけになりました。

節度使《せつどし》という制度があります。地域ごとに募兵する制度を辺境地帯で取り入れたのです。はじめは長官は中央から派遣されていましたが、しだいに異民族の軍人による軍閥となったのです。そのなかにペルシャ系ソグド人の安禄山がいました。巨体ながら踊りがうまく、胡人らしい陽気さやユーモアの才が魅力的な人物で、玄宗や皇后となった楊貴妃に気に入られました。

これが楊貴妃の兄との権力闘争に負けて起こしたのが安史の乱です（755～763年）。「国破れて山河在り城春にして草木深し」という杜甫の詩は、長安の荒れようを詠んだものです。ただし、このころは文化的には「盛唐」と呼ばれます。李白・杜甫・王維・孟浩然《もうこうねん》らの詩人たちが活躍し、唐三彩といわれる陶器が焼かれた黄金時代でした。

唐は安史の乱ののち、1世紀半も生き続けました。経済政策では、両税法がとられました。年に2回徴収したのでその名があるのですが、自作農を前提で人頭税のような形で徴税していたのを、資産額に応じて課税し、商工業者からも取りました。戸籍が不正確になったのでやむを得なかったのです。

安史の乱が終わった763年は、日本では恵美押勝《えみのおしかつ》が最高権力者だったころで、唐が滅びた907年は醍醐天皇のもとで菅原道真が失脚し、藤原時平の全盛期でした。

仏教が栄えた隋の時代に比べて、唐の時代には道教が重視されましたが、仏教でも玄奘三蔵《げんじょうさんぞう》が教典を求めてインドに行きました。しかし、武宗の845年には、最澄の弟子である慈覚大師円仁《じかくだいしえんにん》が遭遇したことで知られる「会昌《かいしょう》の廃仏」がありました。過度の人数が出家したことや、寺院財産への非課税による税収不足、それに意外に大きかったのが、仏像などに大量の銅を使ったことからくる銭不足がデフレを招いたことも原因でした。

唐では全般的に皇帝の質が良かったので、宦官の弊害はそれほどありませんでした。しかし、後期には、宦官がまた専横を始めました。宦官は子孫を残せないので欲深くないといわれたし、たしかに、そういう面はありましたが、長期的なビジョンに興味がなく、その場さえよければよいという考えに傾きがちだったのです。

30―初代英国王ウィリアム1世の墓はフランスにある

バイキングがどうして西ヨーロッパ全域を支配する勢いを見せたかは、気候変動とか人口過剰など諸説あります。何にしても、機動力の高い船で戦闘意欲が旺盛な兵士たちを運び、ヨーロッパ各地から新しい情報と技術を集めた彼らが、東方の高度な文明から孤立していた西ヨーロッパの諸民族より強く、成功したのは当然でした。

フランスに彼らがやってきたときに、カロリング朝の王様に代わってパリ防衛の先頭に立ったのが、ウード（のちのウード1世）でした。祖先はフランクフルト付近から出ましたが、中部フランスのロワール川中流で有力者となりました。これがカペー家です。

ウードは王となりましたが、その後は、またカロリング家のシャルル3世がたちました。このシャルル3世は、バイキングの指導者ロロと結び、王女を降嫁させ、ノルマンディー公国を創設して与える代わりに、臣下になることで妥協を成立させました。これがのちに英国を征服して現王室の先祖となります。

そして、カロリング朝最後の王であるルイ5世（怠惰王）が事故死したとき、「王は血統の高貴さのみならず、知恵と武勇と寛大な精神の持ち主こそふさわしい」といわれたユグ・カペーが「フランキア、ブルトン、ノルマン、アキテーヌ、ゴート、スペイン、ガスコーニュの人々の王」となりました。フランス王国の誕生です。

その後のフランス王統は嫡出男系男子で連続しており、分裂が「バロワ」「ブルボン」「オルレアン」などの王朝の名で呼ばれるとしても、19世紀のシャルル10世まですべてユーグ・カペーの子孫ですし、現在の当主はパリ伯爵ジャン4世ですがフランスが混乱するといつも注目されます。また、スペイン国王とルクセンブルク大公はその男系子孫です。

イギリスには、アイルランド人の先祖であるケルト人がいましたが、それを征服したのがローマ帝国です。支配はゆるいままで終わり、アングロサクソン人に征服されました。騎士伝説で知られるアーサー王はケルト人の指導者で、アルフレッド大王はアングロサクソン人の王です。

しかし、エリザベス女王が日本へ来たときに、「わが祖先ウィリアム1世のときから」と言ったので、日本人は少し驚きました。イギリスにはノルマン人による征服の前から王様がいたし、万世一系とされる日本と違って、頻繁に王朝が交代してきたと思っていたからです。そのあたりの事情は、第53項目で解説します。

フランスのノルマンディー公ギヨームは、イングランド王家の内紛につけ込み、これを征服しました。そして、アングロサクソンの貴族から土地を奪い、ノルマン人の家臣たちに分け与え、従軍義務など封建的な忠誠を確保することに成功しました。つまり、伝統的な支配階級をいったん一掃したので、イングランドは強力な中央集権国家となったのです。

国王の直轄領も全土の5分の1に達するなど財政基盤も確立でき、1085年に土地台帳であり戸籍ともいうべきドゥームズデイ・ブックを作成しましたが、これは、太閤検地のようなもので、これで安定した徴税も可能になりました。教会再編成に成功し、1086年には、領主を集めて忠誠を誓わせる「ソールズベリーの宣誓」を演出しました。

こうした歴史がゆえに、イギリスの文化には、ケルト、アングロサクソン、ノルマン、フランスという民族の影響が重層的にあります。ケルトの影響はアイルランドやウェールズ、スコットランドでより濃厚に残っていますが、イギリス風の庭園にみられる自然への愛好や、音楽好きはケルトの遺伝子がゆえです。

アングロサクソンは、大柄で強靭な肉体、激しい気性、規則や儀式好き、軽佻《けいちょう》浮薄《ふはく》を嫌う真面目さ、仲間と組織への忠実さなどをイギリスに与えました。

ノルマン人は、造船や道具づくりに高い技術を持っており、機動性に富んだ船は神出鬼没で小さい河川でも遡ることができ、勇猛で組織をつくって協力して動き、海外で暮らすことを厭わず情報収集に長けていました。そういう気質は、海上帝国となるときに生かされました。

そして、フランスで得た文化的な素養とフランス語の知識が、英語をほかのゲルマン諸語と比べて語彙が豊富で国際的に使いやすいものにしました。(英語の単語の60%は、フランス語由来です)。

ただ、フランスの領地を持ち続け(ウィリアム1世の墓はノルマンディー地方カーンのサン・ピエール寺院ですが、フランス革命のときに荒らされ遺骸は捨てられました)、女系相続を許していたことから、フランスでの利権保持に精力を費やし、フランス王位まで狙ったのでややこしいことになります。

31—エルサレムをめざした十字軍騎士たちの夢

ローマ教皇はローマの司教に過ぎないはずでしたが、皇帝がいなくなった西ヨーロッパにあって権威を高め、皇帝と権力争いを繰り広げました。また、教会が嫌っていたのが、聖職者に俗人がなったり、皇帝が司教の叙任権を持っていたことでした。

そこで、フランス中部のクリュニー修道院を中心に、聖職者の叙任は教皇が行い、教皇の選挙は枢機卿のみで行い、聖職者の結婚は禁じるといった改革運動が進められました。指導者だった教皇グレゴリウス7世は、皇帝ハインリヒ4世を破門し、皇帝は雪の中で3日間も素足で立ちつくし許しを得たという「カノッサの屈辱」で知られています。

しかし、教皇の権威の頂点は、ウルバヌス2世によって始められた十字軍です。1095年、フランスのクレルモンにカトリック教会聖職者の公会議を招集し、聖職売買や聖職者の妻帯禁止、叙任権奪回闘争を議論したのですが、会議の最後にウルバヌスは十字軍の派遣を呼びかけました。

このときの「乳と蜜の流れる国」についての演説は世界史でもっとも著名な演説のひとつです。『神の子らよ、あなた方はすでに同胞間の平和を保つことや聖なる教会を忠実に擁護することを、神に約束したが、新たにあなた方の任務が生じた。東方に住む同胞に援軍を送らなければならない。トルコ人が彼らを攻撃し、ボスフォラス海峡の周辺にまで進出した。キリスト教徒を破り、住民を殺し、教会堂を破壊して神の国を荒らしている。神はキリストの旗手であるあなた方に、身分にかかわらず立ち上がり、いまわしい民族を根だやしにしろと勧めておられる』『ヨーロッパは狭く肥沃でもなく人々はたがいに争っている。隣人が聖墓の地への遠征に加わるのをとめてはならない。乳と蜜の流れる国は、神があなた方に与えた土地だ。かの地、エルサレムこそ世界の中心にして、天の栄光の王国だ』と、大弁舌を振るい、女性たちの美しさまで言及したとも言います。

このウルバヌス2世の呼びかけは、東ローマ皇帝アレクシオス1世が傭兵提供の依頼をローマにしたのがきっかけでした。エルサレムはすでに637年からイスラム教徒に支配されていましたが、イスラム教徒にとっても聖地なので破壊していたわけでもないし、巡礼者も大事に扱われていたのですが、セルジューク・トルコが支配者となって、少しトラブルが始まりました。

とはいえ、コンスタンティノープルからの救援要請もせっぱつまったものでもなかったのですが、ウルバヌスが東西教会統一のチャンスと思って悪のりしたところ、ヨーロッパ中に異常な興奮をもたらしたのです。

ヨーロッパの騎士たちが聖地へ向かい、1099年には、エルサレムを占領し、イスラム教徒、ユダヤ教徒相手に人類愛を説いたイエスの弟子とは思えない大虐殺を働き、フランス貴族ゴドフロワ・ド・ブイヨンを国王としてエルサレム王国を建国しました。

十字軍は1270年に派遣された第8次十字軍まで2世紀にわたり続きました。マイナスも大きかったのですが、東方の優れた文明との出会いは西ヨーロッパにとって大きな実りをもたらしましたし、ローマ教皇の権威が高まり、騎士階級の疲弊と王権の強化のきっかけになりました。

「王様と結婚したと思っていたら相手は修道士だったのよ」と、アキテーヌ出身のフランス王妃アリエノールは嘆きました。アリエノールが育ったボルドーの宮廷は、トロバトール（吟遊詩人）たちが愛の歌を奏でるロマンティックな別天地でした。

この女性がフランスとイングランドの長い戦いの原因となります。ピレネー山脈に近いガスコーニュから中部のポワトゥーにまで及ぶフランス南西部を女領主として相続した彼女は、フランスの王太子だったルイ7世と結婚したのですが、これがまったくの堅物でした。

第2次十字軍にルイも参加したのですが、このとき、聖地に王妃アリエノールも同行させました。遠征地での彼女は南国の開放的な気分に煽られたか、好ましからざる行状だったので、帰国後、離婚しました。

しかし、アリエノールは、11歳も年下のアンジュー（フランス中西部の町）公アンリと再婚したのです。しかも、アンリはその母がイングランドのヘンリー1世の王女マティルダだったことから英国王ヘンリー2世となったので、フランスの西半分とイングランドを支配することになりました。ソルボンヌ大学やパリの城壁を初めて創ったことでも知られるフィリップ2世（フィリップ・オーギュスト）は、ヘンリー2世とその子供たちの争いにつけこみ、王妃アリエノールが可愛がったリチャード1世（獅子心王。騎士道精神に満ちた王様でイギリスの国会前に銅像があるなど、英国史上でも非常に人気がある王様です）が父に反抗したのを後押ししてヘンリーを孤立させました。リチャード獅子心王とは第3次十字軍にも出かけたのですが、そこで不和になって、こんどはジョンなどその弟たちを使って揺さぶったあげく、アキテーヌでの小競り合いで死に追いやりました。そして、王となった弟のジョンから大陸での領地のうちボルドー周辺のわずかを残して没収しました。

この失敗を重ねたジョン王が貴族たちに勝手な振る舞いをしないように署名させられたのが、マグナカルタです。王権の制限という点では歴史的意味がありますが、民主主義とこれを結びつけるのはイギリス人以外には理解できません。

第3次十字軍でリチャード獅子心王のライバルと言われたのが、サラディン（1138～93年）です。クルド人で、アレッポ（シリア）の王に仕えていましたが、エジプトに派遣され自立しアイユーブ朝を開きました。サラディンは、学校を整備し、イスラム法学の普及につとめました。

また、イタリア商人と良好な関係を築いて、おおいに、経済的な利益も得ましたし、イエメンやシリアも版図にいれ、エルサレム王国を沿岸部に追い払ったのです。しかし、身代金を払えない捕虜まで放免し、退去するのに護衛まで付けたので、感激した十字軍の騎士たちが、ヨーロッパに帰ってサラディンを褒め称えました。

第3次十字軍では、フリードリヒ1世はトルコで溺死、フィリップ2世も早々に引きあげ、リチャード1世とサラディンの直接対決になりましたが、1192年、休戦条約が結ばれました。エルサレムと内陸部はサラディンのものと認められましたが、キリスト教徒は武器を携行していなければ聖地巡礼が認められ、騎士たちが、キリストの墓に詣でたとき、サラディンは彼らを丁重に迎え接待し、『信仰の自由を守る』ことを約束しました。

32―ロシアはバイキングが生んだキエフ大公国に始まる

このののち、エルサレムなどはエジプトの支配が確立し、第4次十字軍はのちに紹介するように東ローマ帝国を攻撃し、一時は滅亡させましたし、その後の十字軍でもフランスのルイ9世や皇帝フリードリヒ2世の活躍はあったものの、ヨーロッパ人たちの眼は、ヨーロッパ自身の経済開発や、東欧や海洋へ向かっていきました。

ヨーロッパ各国では、キリスト教を受け入れた王様が「初代」といった扱いを受けることが多くなっています。フランスのクロービス、ロシアのウラディミル大公（キエフ公国）、ハンガリーのイシュトバン王（1000年ころ）などです。

ポーランドでは、ミェシュコ1世が966年ごろにキリスト教を受け入れ、ボレスワフ1世フロブリが1000年に神聖ローマ皇帝より王冠を授与されたのでこの二人でワンセットです。

デンマークではハラール青歯王が960年にキリスト教を受け入れますが、その父親がゴーム王（在位936?〜958年?）です。そののち、女系継承も含めてですが、だいたい継続してゴーム王の子孫が現代に至るまで王位に就いており、世界でも日本の皇室の次に古いのです。

ロシア国家の始まりは、東ローマ皇帝バシレイオス2世の妹アンナがキエフ大公ウラディミルに嫁ぎ、キリスト教を国教として受け入れたときです（988年）。

その曾祖父であるリューリクはバイキングでしたが、バルト海から少し内陸に入った交易都市ノブドゴロのスラブ人たちの望みで用心棒的な支配者となり、その子孫はキエフ（ウクライナ語ではキーウだがロシア史の用語としてはキエフが適切であるので本書ではキエフと表記する）へ進出し、さらに黒海沿岸のユダヤ教王国ハザールを滅ぼし、東ローマ帝国にも脅威を与えました。ロシアの語源になったルーシというのはバイキングたちが自分たちを呼んだ名前です。

この結婚はウラディミルの内外での権威をおおいに高め、さらに、彼の孫娘はフランス王アンリ1世の王妃となりました。ローマ教会が近親者の縁組みを規制したので、西欧の王族で適任者がおらず、白羽の矢が立ちました。もっとも、フランス人たちは、彼女が女性にもかかわらず「読み書きができる」と驚いたそうですから、ギリシャ正教圏のほうが文明化が進んでいたのです。

33―西洋人から中国歴代王朝で意外な最高評価は宋の時代

大唐帝国が滅びるきっかけになったのは、現代中国で本格的な農民による革命的行動と評価が高い「黄巣《こうそう》の乱」です。

唐が滅びてから宋が建国されるまでの時代を五代十国時代と呼びます。南北朝時代に先立つのは、五胡十六国で、間違わないようにしなくてはなりません。中原を支配する五つの王朝と地方に樹立された10国という意味です。

後周の世宗は名君でしたが、跡を継いだ恭帝は7歳でしたので、部下たちは趙匡胤《ちょうきょういん》（北宋の太祖）に皇帝の象徴である黄衣を着せ皇帝に冊立《さくりつ》しました（陳橋《ちんきょう》の変）。しかし、後周の皇帝は天寿を全うし、その子孫は南宋が元によって滅ぼされるまで大事にされました。

太祖は代々の皇帝のために門外不出の「石刻遺訓」を残して皇帝が即位するときに初めて見るように言い残しましたが、その内容は、「柴氏一族を子々孫々にわたって大事にすること」と「言論を理由に士大夫《したいふ》を殺してはならない」ということだったそうです。

宋にとって最大の難敵は、はじめは契丹でしたが、やがて女真族が発展して、金が華北を支配しました。しかし、その金もモンゴルのフビライに滅ぼされ、南宋もまたフビライによって打ち破られました。

「漢奸《かんかん》」という言葉は、日本でいう「国賊」のことです。その代表は南宋の秦檜《しんかい》です。北宋が女真族の金に滅ぼされたときに捕虜となり、のちに帰国して、首都開封など華北の領土を割譲し、宋が金に毎年銀25万両と絹25万疋《ひき》を貢ぐという紹興の和議を結ぶなど金との融和路線を推進した宰相で、反対に命令に背いても金と戦おうとしたのが岳飛《がくひ》です。

この和議は経済的に見れば悪いものでなく、南宋経済は発展したのですが、死後は漢奸の代表と糾弾されることになりました。

現実主義的なハト派が漢奸といわれ、国の命令に背いてまで戦おうとした軍人が英雄とされているのを見ると、中国人はすごい愛国者のように思えます。しかし、中国の歴史を振り返ってみると、これほど外国の侵略に対してあっさりと屈し、支配を受け入れてきた民族もありません。岳飛のような硬骨漢は滅多にいないものだからこそ、あれだけ尊敬されているのだと思います。

この宋という王朝は、中国人にはあまり尊ばれていません。しかし、この時代はもっとも経済が栄え、圧政は行われず、文化的にも最高水準の活動が行われました。欧米人などは、宋の時代を高く評価しています。また、現代の中国人の生活様式もこの時代に出来上がったといってよいでしょう。日本の生活文化も、室町時代にこの宋の遺産を輸入し消化し成立したものといっても過言でありません。

北宋は高度な官僚国家でした。科挙は隋唐から行われていましたが、北宋では地主層が競って子弟を勉学させて科挙を目指させ士大夫層（日本の戦前における地主層のようなもの）が地方の有力者として政治と経済の支配階層となり、さまざまな形で特権を持ちました。しかも、なんと、科挙の最終試験は皇帝自身による殿試《でんし》が行われ、官僚は皇帝の弟子であるという絆が生まれました。その科挙では儒学（経義）、詩文（詩賦《しふ》）、時事問題（策論）が主たる課題でした。

そのうち儒学は、南宋の朱熹《しゅき》が整理した朱子学に結実しました。「社会の秩序を大事にし、そのなかでの自分の役目をとことん良心的に果たしていかねばならない」というのが基本的な考えかたです。たとえば、官僚は正統な主君（上司）によく仕え、部下や人民を慈しむとともに、家庭にあってもよき父であり子でなくてはならないと要求されます。「教育勅語」なども基本的には朱子学的な世界の産物です。

こうした考えが及ぼしたよい影響も多いのですが、世の中の進歩の抑制要因ともなり、男尊女卑を正当化したといわれますし、文官の地位を高めすぎて軍人を軽視しました。

とくに、貨幣経済の進展と銭による納税の必要から、差し迫った零細農民が高利の金融や高い物資の利用を強いられて、貧困化する現象が顕著でした。それは、軍事力の低下にも繋がりました。昭和の初めごろの日本で起きたことと同じです。

不満解消のため、科挙の合格者を増やしたので、それが余計なポストの新設につながりました。伝統的な組織を残したまま、新しいポストを新設したので、行政組織のさらなる拡大を招きました。

神宗《しんそう》のとき、王安石の「新法」による改革が行われました。青苗法《せいびょう》（農民への小口貸し付け）、方田均税法（検地。隠し田の発見に役立つ）、募役法《ぼえき》（士大夫層に恣意的にかけられていた税外負担を広く薄くし、銭納とする)、均輸法(物資の運送を公的に行い、物価対策にもする)、保甲法《ほこう》(農村の自治組織に治安の維持や軍事訓練を行わせる)、科挙改革(実務重視)などが主たる内容でした。

いずれも、目的はもっともです。しかし、特権剥奪、民業圧迫になり、急な変更すぎて十分に成果が出ないことがありました。「官か民か」ということについて、アプリオリな正解などないのです。

それを、「企業に儲けさせることが悪だからできるだけ公的に」とか、反対に昨今はやりの「民でできるものはすべて官から民へ」などと両極端の主張をすることが、いつの時代もすべての間違いの原因だと思います。

34 ― 平清盛の天下は日宋貿易の利益でもっていた

唐の滅亡と同じころ、新羅と渤海(926年)が滅び、朝鮮半島では高麗、満州方面では契丹が覇者となりました。契丹はモンゴル系の鮮卑に近いとみられています。ロシア語のキタイをはじめ、欧米で中国のことを契丹に由来する言葉で呼ぶことがあり、香港の航空会社であるキャセイ航空の名もここから来ています。契丹は、2代目の太宗のときに遼と国名を変更しました。

中原で北宋が成立したのち、遼は1004年に「澶淵《せんえん》の盟」を結び、貢納金を毎年、宋から得ることに成功しました。しかし、渤海の残党の中から金が力を持ちだし、北宋と連携して遼を攻めたので、1125年に滅ぼされました。

契丹に滅ぼされた渤海遺民は、契丹の麾下《きか》に入ったり一部は新羅や高麗に移りましたが、靺鞨族《まっかつぞく》のうち中国文明の影響をあまり受けていなかった北方の黒水靺鞨は自立して、これが、やがて女真族になりました。満州人の誕生です。

女真は1115年にいたって独立帝国である金の建国を宣言しました。完顔阿骨打《わんやんあぐだ》は北宋と海路を介した「海上の盟」を結び、遼を挟み討ちにし、1125年に遼を滅ぼし、次いで北宋を1127年の「靖康《せいこう》の変」で滅ぼし華北一帯を領有しました。

日本は、平安時代のはじめに派遣した遣唐使で最澄や空海が唐に渡り、天台宗や真言宗が伝来し、とくに嵯峨天皇の時代には、奈良時代以上に唐風の文化の受容が完成しました。しかし、均田制や徴兵制からなる律令制度は、徐々に崩れました。そして、唐、新羅、渤海が滅びたところで、日本は外交関係を持たないという意味で、準鎖国体制に入ります。民間交流は否定してませんので、江戸時代の鎖国とは意味が違います。

政務は能力と関係なく、世襲の家系に委ねられる一方、世襲の実務集団も成立しました（菅原家に代表される学問の家など）。ほとんど常備軍はなく治安維持などは、武士という私兵集団に委任することになり、やがて、その武士たちが実質的な権力者になっていきます。地域経営は荘園という私営の地域開発管理企業に治安維持や公共事業まで含めて丸投げしました。

ひとことでいえば、究極のローコスト経営ですが、外国の侵略への対応とか大規模なインフラ整備はほとんど不可能になりました。しかし、京都周辺の四季の移ろいを意識した独自の繊細な国風文化を発展させました。『古今集』や『源氏物語』の世界です。『源氏物語』は、世界初の長編小説といわれます。

北宋の太宗が、面会した僧の奝然《ちょうねん》（京都の嵯峨清涼寺の開祖）から、日本では皇室が万世一系であるのを聞いて「島夷《とうい》であるのに古の道を歩んでいる」と賞賛した逸話が知られています。

南宋では孝宗という名君がいて、平清盛が交易したのは、このころです。宋の商人が来航すると朝廷では、外夷が天皇の徳を慕ってきた一種の朝貢とみなし、蔵人所《くろうどどころ》から唐物使を派遣してめぼしい物を砂金で買い上げ、残りは自由に売却させました。

唐物への渇望は増し、この貿易利権を握って成功したのが、平忠盛・清盛の父子でした。喜ばれた輸入品は書籍、美術品、薬、香木、さらには、オウム（人の言葉を話す鳥）や孔雀、羊などの動物、象牙などでした。銅銭が大量に輸入され、これが貨幣経済の開始に貢献しました。

しかし、鎌倉幕府の成立とモンゴルの南宗征服で夢と消えました。南宋と平家政権という通商国家が手を結べば、アジアの歴史は違うものになっていただろうと思われ少し残念です。平清盛は都を福原（神戸）に移そうとしましたし、南宋の首都は臨安（杭州）でしたが、政治の中心が東日本の鎌倉と華北の大都（北京）になってしまうと、海洋は政治の関心の主たるテーマでなくなってしまったのです。

中東の歴史的地名

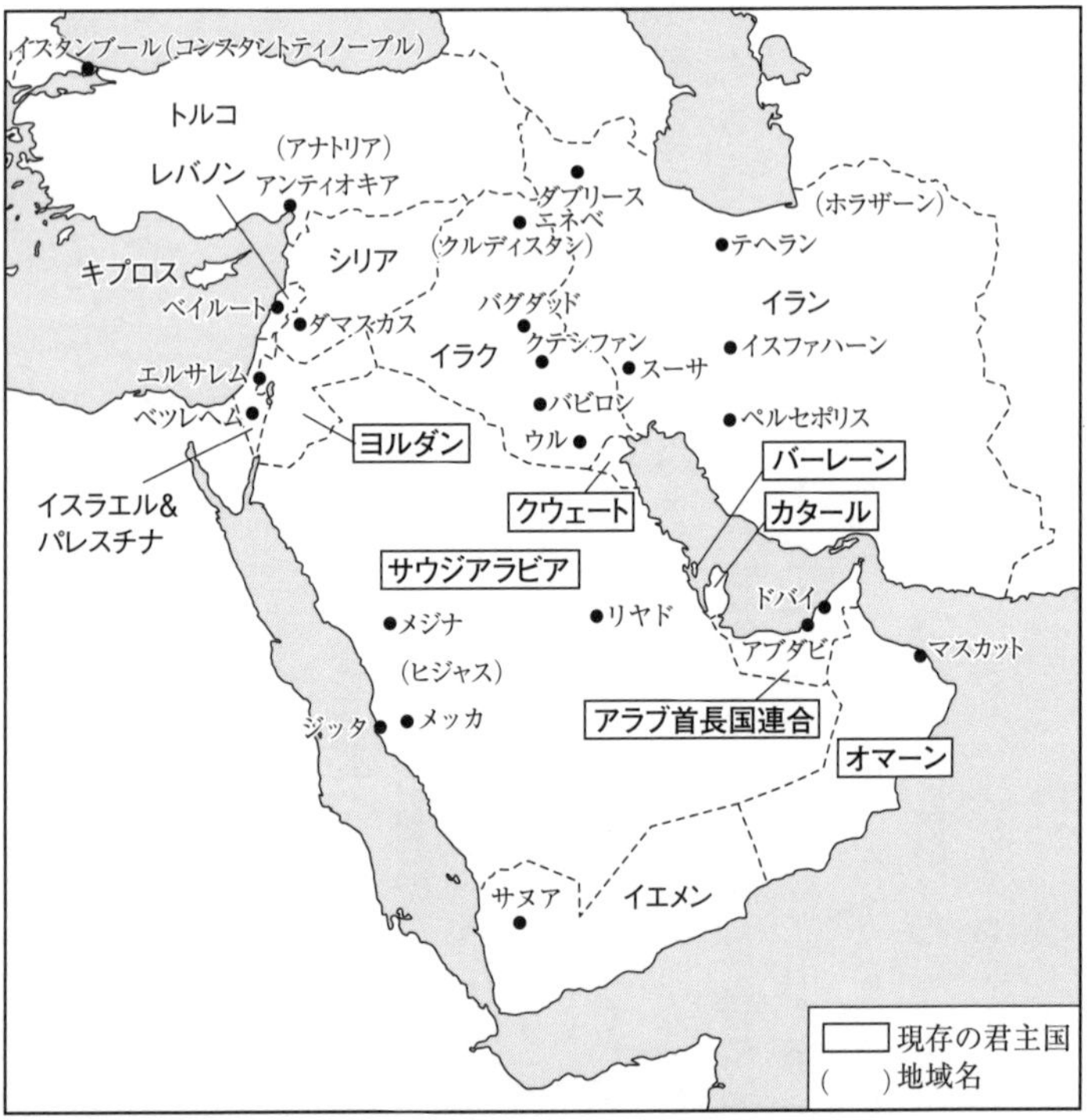
イスタンブール（コンスタンティノープル）
トルコ
（アナトリア）
レバノン
アンティオキア
ダブリース
ニネベ
（クルディスタン）
（ホラザーン）
テヘラン
シリア
キプロス
ベイルート
ダマスカス
バグダッド
クテシファン
イラク
イラン
イスファハーン
スーサ
エルサレム
バビロン
ベツレヘム
ペルセポリス
ウル
ヨルダン
バーレーン
クウェート
カタール
イスラエル&
パレスチナ
サウジアラビア
ドバイ
メジナ
リヤド
アブダビ
マスカット
（ヒジャス）
ジッタ
メッカ
アラブ首長国連合
オマーン
サヌア
イエメン
現存の君主国
（　）地域名

ユーラシアの歴史的地名

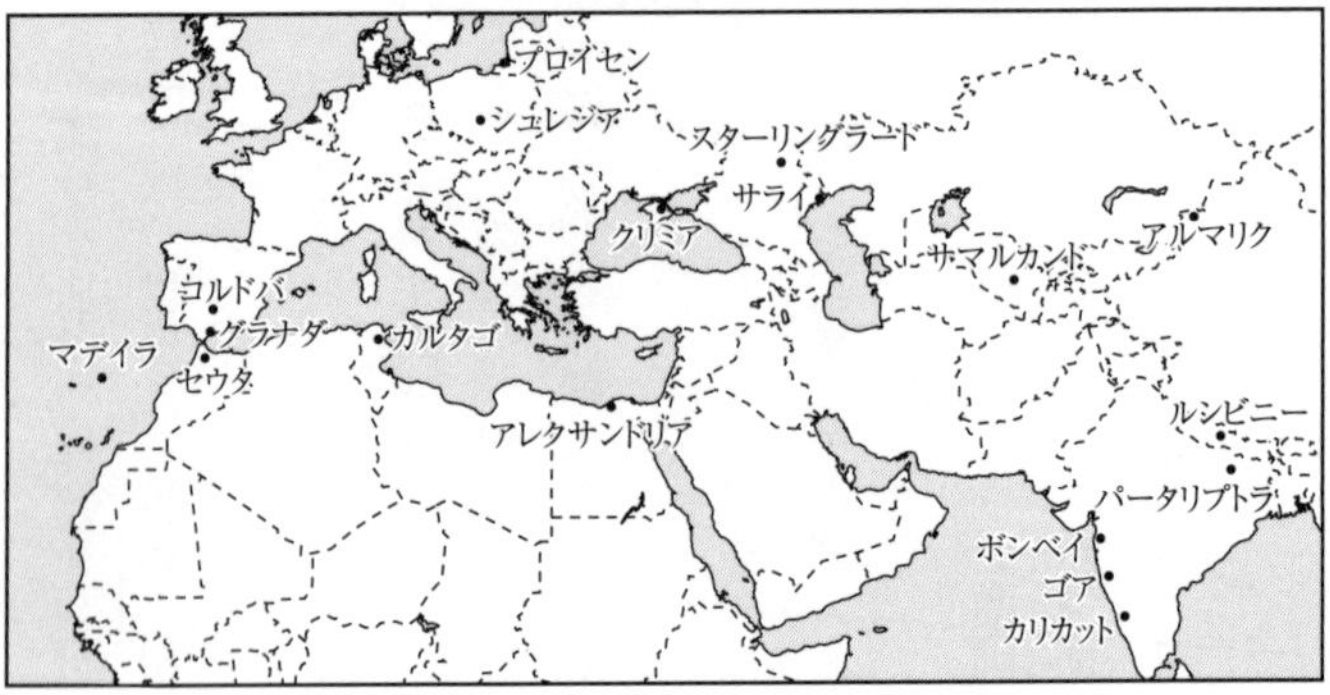
プロイセン
シュレジア
スターリングラード
サライ
クリミア
アルマリク
サマルカンド
コルドバ
グラナダ
カルタゴ
マデイラ
セウタ
アレクサンドリア
ルンビニー
パータリプトラ
ボンベイ
ゴア
カリカット

第五章

成吉思汗・ルネサンス・オスマン帝国

北京の故宮（中国）

35 世界史を誕生させたといわれるモンゴル帝国

「世界史」はモンゴル帝国に始まると言う人がいます。たしかに、朝鮮半島からロシアやメソポタミアまで勢力下に置いたモンゴル帝国において、はじめて、東洋と西洋がひとつの世界として結びつけられたというのは確かです。

そのモンゴル帝国の継承国家としての性格は、ロシア、中国、インドという世界の三大国に引き継がれてもいます。また、この時代にテュルク民族が勃興しました。

少し言語学的な解説をすると、テュルク語、モンゴル語、それに満州語などツングース語をひっくるめてアルタイ諸語系と呼びます。SOV型（主語―目的語―述語）とか助詞などを使う膠着語《こうちゃく》であることなどの特徴があり、朝鮮語や日本語もこれに近い存在です。ハンガリー語やフィン語などのフィン・ウゴル語も似ています。

モンゴル語に近い言語を持っていた民族には、鮮卑や契丹がありますが、彼らは漢民族やモンゴル民族など他の民族のなかに吸収され消滅しました。たとえば、蒙古族というのは、7世紀には小民族として、突厥《とうけつ》、契丹《きったん》に服従していたわけです。それが、契丹が金に滅ぼされたあと、その残党の一部を吸収し、金に服従していたが、やがて、金を滅ぼして、大きな民族に成長したわけです。

逆に、たとえば、匈奴はどこに消えたかというと、漢族、ウイグル族（テュルク系）、モンゴル族にばらばらに吸収されたようです。

　一方、突厥の移民などテュルク族は中央アジアに移ってイスラム教化し、勇猛だったことも手伝って、各地で軍人として活躍し、トルコまで支配下におき、やがて、オスマン帝国を建国し、かつての東ローマ帝国全盛期の領土をほぼ支配しました。

　中国では、フビライが北方民族と漢民族の帝国を築き上げ、それが、明という時代の中断を経たあと清に引き継がれ、それが現代中国のもとになります。

　ロシアはキエフ大公国が滅ぼされますが、それが継承したモスクワ大公国は、モンゴル的な性格が強く、それは現代に至るまでロシア国家の特色になっています。また、ロシアとウクライナの抗争の地であるクリミア半島には18世紀までキプチャク汗《はん》国の後裔であるクリミア汗国があってロシアの黒海進出を阻んでいました。

　中央アジアのウズベキスタンやカザフスタンなどは、中央アジアのチャガタイ汗国が分裂してできた小国家がもとになっています。そのチャガタイ汗国の武将の子孫がインドに移って建国したのがムガール帝国です。

　そして、日本は唐が滅びてから大陸との積極的な交流をすることなく、小さな政府のもと国風文化を発展させてきましたが、元寇の襲来により奈良時代以来、久しぶりに東アジアの騒乱とかかわることとなり、マルコ・ポーロによって「黄金の国ジパング」として世界に紹介されることになります。

36 ― チンギス・ハンの子孫は1600万人もいる

モンゴルという名の部族が成長したのは、狩猟民で、遊牧地を支配することに関心を持たなかった女真族の金に契丹（遼）が滅ぼされた結果、モンゴル高原東部に空白地帯ができたからです。チンギスは、ほかのモンゴル諸族を服属させて、1206年にイェケ・モンゴル・ウルス（大モンゴル帝国）を建国したのです。

そして、寧夏回族《ねいかかいぞく》自治区銀川を首都としていた西夏、金の北部（金は北京を捨てて開封に移る）、西遼（現在のキルギス共和国）、ホラズム（首都はトルクメニスタン国内）まで征服しましたが、陣没《じんぼつ》しました。北京を攻略したときには、滅びた遼の遺民である邪律楚材《やりつそざい》を麾下《まか》〈家来〉に加え、中国経営の知恵袋にしました。

2代目のオゴタイは、南宋と結んで金を滅亡させました。金が支配していた華北の平原を、モンゴル人たちは農民を追い払い遊牧地にしようとしましたが、邪律楚材らの意見を入れて、漢民族との共存が図られました。また、兄の子であるバトゥをロシアに派遣して、キエフ大公国を征服しキプチャク汗《はん》国を樹立させました。

モンケは弟のフレグにメソポタミア方面に遠征させ、アッバース朝イスラム帝国を滅ぼしました。そのあとには、イラン北西部のタブリーズにイル汗国が建国されました。

モンケの時代に南宋攻略の指揮官を任され5代目になったフビライです。ただし、各汗国への統率は弱まり、むしろ、フビライは中国の皇帝として君臨することを優先し、臨安に無血入城しました（1276年）。高麗と共に日本を攻めた元寇は、文永の役が1274年で統一の直前、弘安の役が1281年で南宋攻略の直後です。

フビライは1271年、国号を元とし、北京を大改造して大都としました。しかし、遊牧地帯の南辺に位置する開平府《かいへいふ》も上都《じょうと》として維持し、夏の間はここで過ごしました。

元の支配は、華北と江南を一体化し、東西の交流も盛んになりました。大運河も揚州と開封・洛陽を繋いでいたのを、北京へ直行させ、年貢米を大都へ運ぶのには海路を開発したので、大運河がほかの物資を運ぶ余力ができ経済発展に貢献しました。

とはいえ、元の統治は善政とはいえませんでした。蒙古人、色目人《しきもく》、漢人（金の遺民）、南人（南宋の遺民）という階層による人種差別がありました。科挙が廃止されて、政府高官への道は地方の下級官吏として採用されたのち、キャリアを積んでいくしかなくなり、行政官の質は低下していきました。

法令もきちんと整備されず、モンゴルの慣習が適用されたりして、場当たり的な「政治主導」に終始しました。元朝が約1世紀と比較的に短命で終わったのも当然でした。よいことといえば、高尚なものが尊重されなくなったことの副産物として大衆文化が発展したことくらいです。

しかも、フビライのあとの皇帝は質が悪く、頻繁に交代したので国威が低迷し、フビライの死んだあとわずか40年ほどで明によって万里の長城の北へ追われました。元朝の不評には無謀な外征のコストがあります。元寇もそうですが、ベトナム遠征も非常な負担になりました。

「元寇」と普通に呼ばれる文永・弘安の役ですが、私は、元・高麗寇と呼ぶべきだと思っています。高麗はしぶしぶ参加したどころか、むしろ、元をそそのかしたのです。高麗は新羅を継承したのですが、王室のルーツは高句麗遺民と称していました。そのことが、現代の南北朝鮮までもが高句麗や、それ以前に満州や北朝鮮にあった古朝鮮をルーツとしたがる変則的な歴史観の背景にあります(普通の感覚では韓国・朝鮮国家のはじまりは新羅によるいわゆる「統一」だという意味)。

日本には、高麗は972年に国交を求めてきたのですが、日本は面倒がって拒絶しました。その細かな経緯はよく分かりません。高麗は、963年に宋の冊封《さくほう》下に入りました。しかし、契丹、そののちには金からも冊封を受けています。

モンゴルには、1259年に降伏しました。モンゴルは高麗に代官を派遣してかなり直接的な支配をしましたが、高麗の世子《せし》はモンゴルの宮廷で人質として暮らし、モンゴルの皇族の姫を王后としたので、かえって、他王朝のときより地位は高かったのです。

フビライは高麗に仲介させて使節を日本に送り、「願わくは通交と親睦を深めたい。兵を用いることは誰も好まない」と脅迫したのですが、朝廷は「蒙古という国をいままで知らない。武力をもって臣従を迫ることは無礼である。日本は天照大神以来の神国であり外国に臣従する謂《いわ》れはない」という返信案を作成しました。しかし、幕府はこれを握りつぶして放置しました。

そこで、高麗王世太子でモンゴルの宮廷にあった忠烈王が自分の立場を強めるため派兵を進言して文永の役が始まったのです。このときは、そう簡単には打ち破れないと見て短期で撤退しました。元が南宋を滅ぼしたのち、高麗と江南とから大軍を送りましたが、前回と違って十分な準備ができていた日本軍に苦戦しているうちに台風が来て壊滅状態になり撤退しました。そののちも再征は企画されましたが実行に至らず、日本側も報復に高麗征伐を検討しましたが同様でした。

モンゴル人が「日本は広いし武士は勇敢で死を恐れず、あとからどんどん救援が来るのに対して、モンゴル側は援兵を求めるのも撤退するのも海があるので困難だ」と報告しているように、遠く離れた島国である日本を九州だけならともかく、日本側に大量の死者は出たでしょうが、京都や鎌倉まで長期占領するのは無理だったと思います。にもかかわらず、神風によって日本が救われたという「神国思想」が広まったことは国民統合を強めたものの、現実的な国防体制の充実を軽視する風潮を生んだことは、両刃の剣として近代に至るまで影響しています。

元寇はあったものの、日元貿易はそこそこ展開され、寺社造営料唐船といわれる建長寺船とか天竜寺船は準公的貿易でした。

37 ― 最高の聖王といわれるフランス王とセントルイス

チンギス・ハンが活躍した13世紀は、中世文化が最後の花を咲かせ、ルネサンスが準備されていた時代といえます。そのなかで、ドイツとフランスに、それぞれ個性的な王様がいました。それが、フリードリヒ2世とルイ9世です。

神聖ローマ帝国皇帝フリードリヒ2世（在位1220〜50年、イタリア名ではフェデリーコ）というと、いかにもドイツ人ですが、シチリアのパレルモに生まれた地中海人でした。母はシチリア王女でした。幼いときに父が死んだのでローマ教皇でも最強と言われたインノケンティウス3世を後見人として育ちました。

1212年にドイツ王、ついで1220年に神聖ローマ皇帝となりましたが、9年間ドイツに滞在しただけで、ほとんどシチリアにいました。このころのシチリアは、イタリア・ノルマン・ドイツ・ビザンツ・イスラムの要素が混在した独特の文化を持っていました。フリードリヒ2世はアラビア語も含め9カ国語に通じ、動物学者でもあり、解剖に興味を持ち、ナポリ大学を創建しました。官僚制度を整備し、貨幣制も整備され、その思考も含めて「最初の近代的人間」とルネサンス研究家のブルクハルト（19世紀スイスの歴史家。ルネサンスという言葉はフランスのミシュレが使い始め、ブルクハルトが確立した）からは評価されました。ローマ教皇からは、十字軍を要請されたにもかかわらず、出発せずに破門になったりしましたが、1228年に第6次十字軍を立ち上げました。ただし、戦わずに外交交渉でエルサレムの奪回に成功し、自らエルサレム王となります。教皇はこれをあまり喜ばず、また、破門になってしまいました。

アメリカ中部の都市セントルイスにその名を残すのが、フランス語で「サン・ルイ」、つまり、聖王ルイ（ルイ9世）（在位1226～70年）です。ミシシッピ川領域は、かつて、フランスの植民地ルイジアナで、ニューオリンズもヌーベル・オルレアンと呼ばれていました。

「カトリックの長女」といわれるフランスでも、歴代の王のなかで聖人になったのは、この人だけです。在世中から、国民だけでなく英国人などの外国人からも崇敬された名君でした。教育ママだった母后のブランシュ・ド・カスティーユ（母は英国王ヘンリー2世とアリエノールとの娘）が、理想の騎士として育てたのです。また、父方の祖母はベルギー南部の貴族であるエノー家出身でカロリング家のＤＮＡも受け継いでいました。

成人したルイは、英国王ヘンリー3世を追い詰めましたが、ノルマンディーなどを放棄させる代わりにガスコーニュをヘンリー3世に返して和平を結び、ヘンリー3世と英国貴族との橋渡しや、神聖ローマ皇帝と教皇の調停を行いました。また、「バンセンヌの樹の下での裁判」などの公正さも際立ち、理想のキリスト教君主として高い名声を得ました。

天使のような顔と鳩のような眼のルイ9世は、神経質で怒りっぽく、峻厳《しゅんげん》で、自らや先祖たちの過ちを認めることもためらいませんでした。一方、第7次十字軍でエジプトに出かけたが成果はなく、第8次十字軍でテュニスを攻撃中に陣没しています。

十字軍の失敗は、教皇権を弱体化することになりました。ルイ9世の孫であるフィリップ4世は、教皇至上主義を唱える教皇ボニファティウス8世に対して、聖職者・貴族・市民の3身分からなる「三部会」を創設して国民意識を高めることで対抗し、ローマの名門貴族コロンナ家を味方にして、教皇を捕縛し憤死に追い込みました（アナーニ事件）。

そして、次代のベネディクトゥス11世も変死し、後任にはボルドー大司教のクレメンス5世を選出させ、教皇庁は南フランスの教皇領アビニョンに移転することになりました。これを教皇のアビニョン捕囚（1309〜77年）といいます。

38―ジャンヌ・ダルクが守ろうとした男系男子の王位継承

オルレアンの少女ジャンヌ・ダルクの物語は、奇跡というものが偶然起きるわけでないということを説明するのに最適の材料です。フランスという国が外国人の手に落ちようとしていたとき、この奇跡は起こりました。滅多にありそうもないことが、それを望む人々の心を追い風として実現したのです。

ロレーヌ地方のドン・レミーという平凡な村のありふれた少女が、夢のなかで大天使聖ミカエルから「王太子に会い、オルレアンを救うように」とお告げを受けたのは、そういう願望を語る大人たちの話を、なにがしかでも聞いていたからと思います。

もし、狂気の王シャルル6世と、その後継者として認められた英国王ヘンリー5世が、19歳という年齢差の通りにこの世を去っていたら、ヘンリー5世は少なくともとりあえずは、フランス王アンリ2世として即位していたはずです。

もちろん、先祖の言葉であるフランス語が十分に話せず、英語を公文書に使うことを推奨したヘンリーが、長くフランス王でありつづけられたかは分かりませんし、英国王がフランス王になり、パリで生活することになったら、イングランドの国王になったがゆえに独立を失ったスコットランドのようにイングランドはなっていたかもしれません。

ところが、ヘンリー5世は義父のシャルル6世より早く死んでしまい、生後9カ月のヘンリー6世が残されました。祖父シャルル6世の死後にフランス王と宣言したものの、まるで説得力がありませんでした。そこで、王太子だったのちのシャルル7世がフランス国民の期待を担うことになりました。

王太子は母が奔放でしたので、本当にシャルル6世の子であるか自信がないので迫力がありませんでした。そこにジャンヌ・ダルクがシノン城にやって来て、家臣たちに交じって隠れている王太子を見つけて「貴方が王様の本当のお子様であることを申し上げます」と言ってくれたのですから、何より王太子本人が自信を持ちました。

そして、オルレアンの救出に成功し、初代クロービス王以来、フランス王を聖別《せいべつ》する場所であるランスでシャルル7世の戴冠式を執り行うというコロンブスの卵的なアイディアを、巫女のように説得したのですから効果満点でした。

これで、一気に流れが変わったのです。英国とブルゴーニュ派は、ジャンヌ・ダルクを魔女扱いしてルーアンで火炙りにしましたが、いったん変わった流れは覆りませんでした（1431年）。

もともと、フランスとイングランドの紛争は、ノルマンディー公であるフランス王の家臣がイングランド王となりながら、フランス領内に領土を持ったことが発端ですが、それは片付いていました。

ところが、王妃たちの集団セックス・スキャンダルの結果、妃殿下たちが追放されたものの、当時は、姦通は離婚の理由にならなかったので、しばらく再婚もできなくなって、男系が絶えてしまうというハプニングが起きたのです。

分家のフィリップ6世がバロワ朝を開いたのですが、イギリスのエドワード3世が母がフランス王フィリップ4世の娘というので王位を請求したのが原因です。

しかも、それをフランス王家の分家ですが、婚姻を通じてフランドルなどを領地にし、仏独間に広い領地を得て、毛織物工業の隆盛でさらに豊かになり、「中世の秋」といわれる時代においてもっとも豪奢な文化の華を咲かせ、実質的な独立を狙っていたブルゴーニュ公が英国王を支援したことでややこしくなりました。

この時代、ドイツでは、国王はゲルマン民族の伝統で選挙で選ばれていました。1257年からは、マインツ、ケルン、トリーアの大司教とライン宮中伯（バイエルン公と交互）、ザクセン公、ブランデンブルク辺境伯、ボヘミア王が選帝侯となって選挙権をもち、ドイツ王が原則として神聖ローマ帝国の皇帝として戴冠されました。

建前は世襲でありませんが、オットー1世のザクセン朝、十字軍時代のホーエンシュタウフェン朝などが多くの皇帝を輩出し、とくにボヘミア王のルクセンブルク朝は5人の皇帝を出しました。

なかでも、カール4世は、若いころフランスの宮廷で暮らしていたこともあって学識があり、パリ大学にならってプラハ大学を設立するなどボヘミアの名君として知られ、現在でもチェコの国民的英雄です。プラハ市内のモルドバ川にかかるカレル（カールのチェコ語読み）橋は、町のシンボルになっています。

しかし、1438年にドイツ王となったアルブレヒト2世からのちは、ほぼ、スイス出身のハプスブルク家が独占しました。

39―ベネチアの落日からイタリア・ルネサンスは生まれた

世界史では中世のことを、「暗黒時代」といい、日本史では江戸時代がそれだとか言われてきました。このごろでは、そんなに明暗がはっきり分けられるものではないとか、中世にも江戸時代にもいいところがあるとかいう人が多くなっています。たしかに、古代ギリシャ・ローマ時代が黄金時代で、中世は漆黒の闇夜だったが、突然に朝日が昇って明るいルネサンスの世界になったわけではありません。

とはいえ、イタリアの1400年代（クワトロチェント）におけるルネサンスとのちにいわれるようになった運動が、人類史のなかで画期的な意義を持つものだったのは確かです。

イタリアのベネチア生まれの商人マルコ・ポーロは、17歳の1271年に父や叔父と一緒に東方へ旅だち、シルクロードをトルキスタンから西域を経て、1275年に元の都大都に着きました。

元の世祖フビライ・ハンに仕えたのち、1292年にイランにあったイル・ハン国に嫁ぐ王女とともに泉州を出航し、マラッカ海峡を通って送り届け、1295年に帰国しました。その旅行記が『世界の記述（東方見聞録）』です。そして、ここで「黄金の国ジパング」と書かれたことが、西半球へ日本が知られるきっかけになりました。

ベネチアは、7世紀からナポレオンに征服された1797年までの1000年以上にわたり「歴史上最も長く続いた共和国」です。

このころ、ローマ教皇の力はイノケンティウス3世のもとで最高潮に達して、皇帝やイギリス王を破門にし、フランス王も罰したほどでした。教皇はエジプトのアイユーブ朝を叩こうという提案をし十字軍が派遣されることになりました。

エジプトではサラディンの弟であるアブ・アディールがスルタンで、ベネチア共和国と互いにメリットがある友好関係でした。このころベネチアの第41代元首《ドーチェ》は、コンスタンティノープルで長く暮らした老練な商人であるエンリコ・ダンドロでした。ベネチアにとって最良のビジネス・パートナーであるアイユーブ朝を攻撃などされてはたまらないので、代わりに東ローマ帝国の内紛に十字軍と報酬目当てに介入し、東ローマ帝国を廃してフランドル伯ボードワンを皇帝としてラテン帝国を建てたのです。

このとき、十字軍は、聖遺物と黄金製品などを持ち出しましたが、ベネチア人は、いまサンマルコ寺院のバルコニーにあるブロンズ製の馬の彫刻など第1級の美術品を獲得しました。この4頭ワンセットのブロンズの馬は、ローマでネロ帝の宮殿にあったもので、コンスタンティヌス帝が運んで競技場のシンボルにしていたものです。

こうして、ベネチアはビザンツ帝国を小国群に分割させ、キプロスなど多くの島々を自国領とし、東地中海の支配者となりました。それが崩れるのは1538年のプレベザの海戦におけるオスマン海軍の勝利です。シェークスピアの『オセロ』は、ベネチア領キプロスを舞台にした物語ですし、クルーズの寄港地として人気のドブロブニク（クロアチア）もベネチアの植民都市です。

ベネチアの繁栄は、1453年に東ローマ帝国を滅ぼしたオスマン帝国の発展と大航海時代の到来によるアフリカやアメリカ回りの航路開発により終わりました。ナポレオンに征服されて共和政は廃止、ウィーン会議の結果、オーストリア領になりましたが、いまも世界の文化活動の中心的な都市のひとつであり続けています。

十字軍のおかげでベネチアやジェノバが商業で栄え、フィレンツェのように毛織物業で繁栄する都市国家が出現し、14世紀にはすでに、ダンテやジオットといった先駆者が出てきていました。

しかし、一気に花開いて「個人の解放」、「ヒューマニズム」を志向した流れとなったのは、15世紀のフィレンツェにおいてといえます。メディチ家は、銀行業で成功し、ローマ教皇庁の財務管理者となっていました。そして、コージモ（１３８９〜１４６４年）は、ベネチア追放から１４３４年に戻ったのち、重要ポストに就かず、一市民として振る舞いつつ政治工作に活躍しました。「ローディの和」（ローディはロンバルディアの一都市）で、フィレンツェ、ベネチア、ナポリ、ミラノ、教皇庁が互いの不可侵を決め、イタリアはしばらく平和が続きました。銀行家としても支店をアルプスの向こう側にまで拡大して大富豪となり、ドナッテロ、ギベルティ、フィリッポ・リッピ、フラ・アンジェリコなどを育てました。

その孫が、ロレンツォ（１４４９〜９２年）で、ボッティチェリ、ミケランジェロなどへも援助し、「偉大なるロレンツォ《ロレンツォ・イル・マニーフィコ》」と呼ばれました。ただ、強引な権力集中に批判が高まり、ロレンツォの死後、修道士サボナローラによる神権政治が行われ、メディチ家は追放されますが、のちにハプスブルク家と組んで復帰し、やがて、世襲のトスカナ大公となりました。

イベリア半島は西ゴート王国がイスラム帝国に滅ぼされたのち、レコンキスタ（国土回復運動）が始まりました。両者の勢力ですが、１０８５年のトレド陥落あたりを機に勢力関係は逆転し、カスティリヤ、アラゴン、ポルトガルという三つの王国と、グラナダに残ったイスラム勢力の４者が最後に残りました。

そのうちポルトガルは、はじめはグラナダを狙おうとしたのですが、カスティリヤと競合するので、狙いをアフリカ大陸に変えたのです。

これが、大航海時代の幕開けになるのですが、それは次章で扱いましょう。

40―トルコ人が中国で生まれてオスマン帝国を建国するまで

中央アジアでは、チャガタイ汗国の武将の子孫から、トルコ語を話しムスリム化したモンゴル人ティムールの帝国が生まれました。

ただし、チンギス家を主君とする姿勢は変わらず、チンギス・ハンの子孫を担いで、その代理人として勢力を伸ばすというやり方をしました。このために、肩書きもハン（汗）でなくアミール（総督）です。

ティムールはイル・ハン国とチャガタイ・ハン国の領域を統一し、バグダッドを落としてアッバース朝のカリフをエジプトへ亡命させました。これ以降は、アラブ世界の中心はエジプトに移りメソポタミアは世界史の中心舞台でなくなります。

また、キプチャク汗国のサライ、インドのデリーにも侵攻し、トルコ東部で勃興しつつあったオスマン朝とアンカラの戦い（1402年）で激突して破りました。

ティムールは、モンゴルのハンに貢納していたようですが、オルジェイという皇子がモンゴルから亡命してきたのを保護して、これをハンに擁立しようとして、20万の軍勢とともに出発しました。明の永楽帝に対しても高圧的な態度に腹を立てており、一気に北京を陥れる可能性も十分にあったのです。

しかし、寒いなかで3日続きの酒宴を開いて自身も大酒を呑んだのち、それが原因になったのか急死してしまいました。ティムールは、学はないが記憶力や理解力は高く、各地の歴史について聞くことも好きでした。いつも凶暴とは限らないのですが、投降を拒否した相手などには、桁違いの残虐行為や破壊を行いました。

「青い都」といわれ世界遺産にもなっているサマルカンド（ウズベキスタン）の建設や運営、交通網の建設にあたっては、優れたセンスを示し、経済活動の重要性もよく理解していたことが窺えます。

ただし、征服したダマスカスなどからあまりにも多くの人材を拉致したので、先進地域だったシリアやメソポタミアは今日にまで影響が及ぶほど打撃を受けました。

ティムールの墓はサマルカンドのグリ・アミール廟にありますが、ソ連時代の1941年に「私が眠りから覚めた時、世界は恐怖に見舞われるだろう」と蓋に刻まれていたのを無視して開棺したところ、内側にも「墓を暴きし者は、私よりも恐ろしい侵略者を解き放つだろう」と書かれてありました。ナチス・ドイツがバルバロッサ作戦でソ連に侵攻したのは、この調査の2日後のことでした。

セルジューク朝の分裂でできた地方政権のひとつが、アナトリア（トルコ）のルーム・セルジューク朝ですが（11～12世紀）、これに仕えてアナトリア東北部にあったのが、オスマン家です。オスマン1世が、1299年にベイ（君侯）として自立したことをもって建国としました。

捕虜としたキリスト教子弟を教育してスルタンに忠実な軍人としたイェニチェリ軍団を創設し、これを生かして、コソボの戦いでセルビア王国を中心としたバルカン連合軍を破りました（１３８９年）。

跡を継いだバヤジット1世は、アンカラの戦いでティムールに敗れて頓挫し（１４０２年）、捕虜になって檻に入れられサマルカンドに護送される途中で死んでしまいました。

これで東ローマ帝国は一息ついたのですが、バヤジット1世の曾孫で、フランス人ないしイタリア人の母親を持つといわれるメフメト2世は、コンスタンティノープルは守りが堅く、長期戦を仕掛けても陥落させるのは難しいと考えました。金角湾の入り口が巨大な鉄の鎖で敵の船を阻止できるようになっていたのですが、軍船を山越えで金角湾に運び込む奇策を成功させました。コンスタンティヌス11世は各地に救援を求めましたが、１４５３年5月29日、第2のローマといわれたコンスタンティノープルは陥落しました。日本では応仁の乱（１４６７年）の直前です。

メフメトは、略奪を最小限とし、みずからギリシャ正教の総主教を任命し、カトリック、アルメニア、ユダヤの各教徒を集め、バザールを設置しました。また、トルコ的な素朴さからビザンツ風の荘重さを目指しました。西洋の文物を好み、おかげでベネチアの画家に描かせた西洋風の肖像も残っています。

また、キプチャク汗国の主たる継承者である、クリミア汗国を保護国化し、18世紀にロシアのエカチェリーナ2世に覆されるまで支配しました。

41―習近平は永楽帝の失敗を繰り返すかも

中国人は得意不得意があって、ノーベル賞が取れないことに象徴されるように、物事を理詰めで考えるのはあまり得意でなさそうですが、土木工事などはもっとも得意とするところです。

その才能が最大限に発揮されたのが、明の時代でないかと思います。万里の長城も現在のような堅牢なものになったのは、北へ退却したモンゴル族が再び攻めてこないように備えたものですし、北京や紫禁城を今日のようなものにしたのも同じです。

毛沢東は、朱元璋（洪武帝）に似ているといわれます。冷酷だといわれる功臣たちへの措置にしても、現代中国では、腐敗への厳しい姿勢とみることが多いようです。朱元璋は、托鉢僧でしたが、弥勒下生《みろくげしょう》を願う反体制集団・白蓮教徒が起こした紅巾の乱に参加し、南京（応天府）を本拠に勢力を拡大して、明を建国したのは1368年です。

そののち、大都（北京）を攻めたところ、元の皇室はあっさり万里の長城の北に逃れました。しかし、モンゴルの脅威は侮りがたく、太原《たいげん》や北京に皇子たちを封じ、強力な軍団をつけました。そのうち燕王は、甥との内戦ののちに永楽帝として即位しました（靖難《せいなん》の役）。

永楽帝は、北京（順天府）をまず副都とし、ついで首都とし、南京（応天府）も副都として維持されました。

永楽帝はまさに習近平のような皇帝でした。傑出した能力で皇帝独裁体制や大胆な対外拡大路線を成功させました。しかし、贅沢な宮廷生活や海外遠征は金食い虫になって国力を削ぎました。

官僚機構では、科挙が復活したのはいいのですが、朱子学による解釈を絶対視する思想が支配的になり、文章の書き方など形式にこだわり、結果、内容の理解より、器用にまとめる才能が重視されました。

明の時代は商業が発展し、共通通貨として銀が普及しました。日本が永楽銭という銅銭を大量に輸入して、銅銭を主たる通貨として本格的な貨幣経済になりました。日本は銀の精錬方法が遅れていたので、銀を含んだ銅の地金を明に輸出し、明は銀を取り出して通貨として使い、残りの銅を銅銭に鋳直《いなお》して日本に輸出していたのです。新大陸の発見でメキシコの銀も大量にもたらされました。

綿織物を中心に本格的な工業も盛んになって、商人たちが活躍しましたが、庶民の窮乏化が進む悪循環が生まれ、改革も進みませんでした。

ただし、退廃ぶりの副産物として『金瓶梅《きんぺいばい》』、『西遊記』、『三国演義』、『水滸伝』など娯楽性が高く社会性もある傑作が生まれました。文化だけは悪政のもとのほうがかえって発展することが多いのは、ロシア革命の直前とか日本のバブルのときもそうです。

南蛮人が来る前に永楽帝は、鄭和《ていわ》の艦隊をアフリカにまで派遣したのに、その後は後退し、南蛮人たちに主導権を取られてしまいました。また、倭寇にもやりたい放題されてなすすべがありませんでした。

鄭和の艦隊を出すような努力を続けたら中国が世界を支配することもできたのにと中国人なら考えるでしょうが、そんなことは無理だったのです。永楽帝のもとで鄭和の艦隊はアフリカ東海岸まで遠征しました。雲南省のイスラム教徒だった鄭和は、宦官として永楽帝に仕え、1405年から1433年まで7回にわたって艦隊を率いて遠征しました。

第1回遠征では、インド洋のカリカットに行き、第4回では本隊がペルシャ湾入り口のホルムズ、一部はケニアのマリンディにまで達し、キリンを持ち帰ったので吉祥《きちじょう》として受け取られ大成功でした。

しかし、鄭和の艦隊のような大規模なものでは、コストに見合う成果は上がるはずがないのです。船団は200隻以上からなり、総勢3万人足らず。幅が56メートル、長さは139メートルの船もありました。半世紀以上もあとにインドに到達したバスコ・ダ・ガマのサン・ガブリエル号は、幅5メートル、長さ25メートルでしたから桁違いです。

こんな経済的合理性のないデモンストレーションは長続きするはずもなく、海外進出は放棄せざるを得なくなり、中国人の出国を禁じる海禁政策をとって極めて小規模に限定された勘合貿易だけに特化し、なかば鎖国体制に入りました。

朝貢システムによる貿易は、良質の品物が周辺国にもたらされるのはいいのですが、量が不足しますし、多様なニーズに応えられませんので、倭寇が大活躍することになったのです。

42 アンコールワットを建設した人たちと太平洋

東南アジアは、インドと中国の政治・文化圏の仲間とみられてきました。ジャングルが覆い繁って河川交通が主で横の移動は難しく大きな国は成立せず、河口部に都市国家「ヌガラ」、「ムアン」という山間部の大きな盆地に小王国ができました。

インドネシアでは4、5世紀ごろインド・グプタ朝の影響で仏教やヒンドゥー教が伝わり、13世紀頃からイスラム教が伝わりました。ベトナムは漢や唐の時代には中国の直接支配を受けましたが、自立しました。

ベトナムは10世紀に成立した「大越国」、タイが13世紀、ミャンマーが11世紀に成立した王国に淵源があります。カンボジアには6世紀に真臘《チェンラ》が、9世紀にはクメール王朝があって12世紀にはアンコール・ワットを建設しました。また、現在の中国南西部には、チベットに吐蕃《とばん》、雲南省に南詔や大理がありました。近代に多くは植民地化されましたが、タイ王国だけは独立を保ちました。

太平洋では、数万年前、オーストラリアなどに、オーストラロイドと呼ばれるオーストラリア原住民アボリジニーたちの先祖が、紀元前千数百年からオーストロネシア語族と呼ばれるモンゴロイドに近い諸民族が台湾あたりを起点に拡がり、紀元前1000年頃にタヒチ周辺に、さらに紀元700年前までにはハワイにまで達しました。

第六章

大航海時代・アメリカ・宗教改革

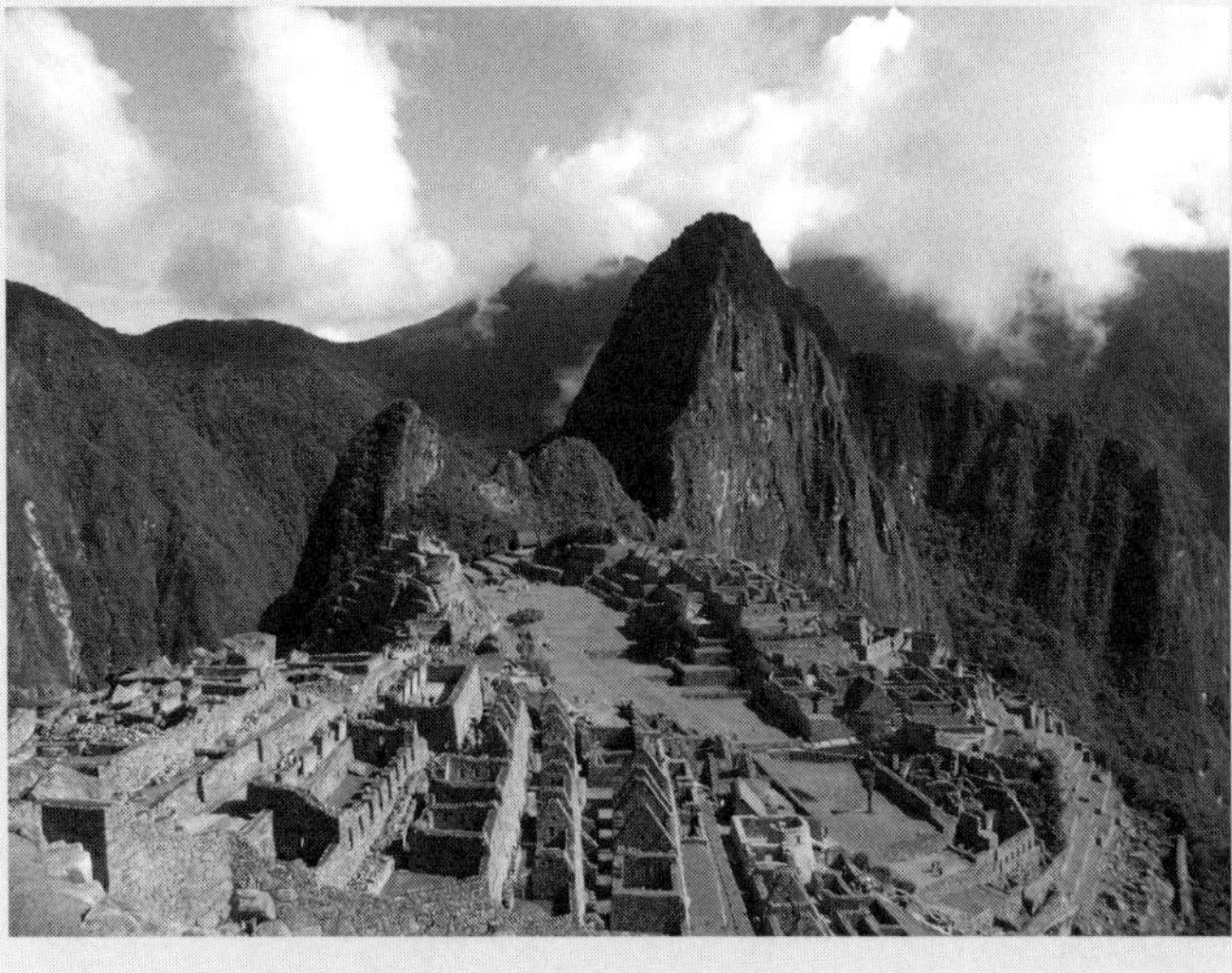

マチュピチュ：インカ遺跡（ペルー）

43―スペインの国土回復運動が大航海時代を生んだ

大航海時代がなぜ始まったかについては、非常な誤解があります。まず、第1に主役はスペインではなくポルトガルです。おくれをとったスペインが仕方なく西回り航路を開発したらアメリカ大陸という大発見があったのです。

もうひとつは、シルクロードをトルコ人に押さえられたといった商業上の利益が動機と思っている人が多いのですが、これも間違いです。出発点はイベリア半島をイスラム教徒から解放しようというレコンキスタ（国土回復運動）の延長でした。

出遅れたスペインが、西回りでインドを目指そうとしたところ、コロンブスがたまたまアメリカ大陸を発見しました。スペイン人は、新大陸の資源を手に入れただけでなく、交易も独占しようとしました。

これを快く思わない英国やフランスは、1530年代から新大陸とスペインとのあいだの船団を海賊たちに襲わせました。『パイレーツ・オブ・カリビアン』という人気映画シリーズがあるように、海賊というとカリブ海が登場するのは、英仏という二大国家が国家戦略として支援した海賊が跋扈《ばっこ》した時代があったからです。

スペインは大船団でまとまって航海させて海賊の襲撃に備えましたが、それでも海賊たちの跋扈は止められませんでした。トルトゥーガやジャマイカのような海賊の根拠地では享楽の限りが用意されていました。英仏は海賊たちの根拠地を根城にスペインから徐々に領土を奪い、争奪戦にオランダやデンマークも加わりました。

東シナ海における倭寇の跋扈も明による海禁《かいきん》政策が原因です。豊臣秀吉が朝鮮半島を占領して中国へ侵攻するという陸軍的発想でなく、倭寇を活用して極東の自由貿易を擁護するというアプローチをすれば、大陸侵攻よりよほど良い結果が出て日本は東洋のイギリスのような立場に立てたと思います。

オスマン・トルコという国名は、最近ではだんだん使われなくなって、オスマン帝国という言い方が多くなっています。イスラム教の世界では民族意識はあまり強くなく、宗教がイスラム教かどうかが、もっぱら問われるからです。オスマン帝国でも、末期になるとトルコ民族意識が強くなり、それに反発する形でアラブ民族意識も生まれてきましたが、長いあいだそういう意識はあまりなかったし、そうでなければ、この広大な多民族国家など治められなかったに相違ありません。

44―スペインとポルトガルのルーツはこうなっている

イスラム教徒に席巻されそうになったイベリア半島ですが、北部にわずかに残ったキリスト教徒たちのうちペラーヨという騎士がイスラムの討伐軍を722年に迎え撃って撃退し、イベリア半島最北部への侵攻を食い止め、これがレコンキスタ（国土回復運動）の始まりとされました。このペラーヨが建てたのがアストゥリアス王国（スペインの皇太子はいまもアストゥリアス公を名乗る）で、ここから中世イベリア国家のスタートです。

スペインでは女系でも庶子でも相続することがあるのでややこしいのですが、現在の王室は男系ではブルボン家で、女系を通じて、ペラーヨの娘の夫の弟であるヘルムード1世に結びついています。

そののち紆余曲折あって、「カスティリャとレオンの王」を称したのがスペイン統一の中核になったカスティリャ王国の前身です。

アルフォンソ6世（在位1065～1109年）は、コルネイユの戯曲やチャールトン・ヘストン主演の映画にもなった『エル・シド』に出てくる名君ですが、その妃がフランス王分家のブルゴーニュ公家（百年戦争の時代以降の同名の家とは関係ない）から嫁したコンスタンサです。

コンスタンサは甥のアンリ（エンリケ）を呼び寄せました。末っ子なので相続で多くを望めず、チャンスを求めてやって来たのです。このアンリがアルフォンソの庶子と結婚してポルトゥカーレ伯となり、その子がリスボンの獲得で名声を上げ、ローマ教会からもポルトガル王として認められたアフォンソ1世です（1179年）。

ポルトガルとカスティリャは、それぞれレコンキスタの戦いを進め、最後に残ったのはグラナダ王国だけになりました。ポルトガルも狙っていたのですが、カスティリャが自分で攻めたいというので、ポルトガルはグラナダからは手を引き、代わりに、アフリカに照準を合わせたというのが正しい経緯です。

ポルトガルでは、14世紀の末に、分家のジョアン1世がアビシュ王朝を立てました。ジョアンはイギリスのランカスター家（当時はまだ王家ではなかった）から妃を迎え、その四男がエンリケ航海王子（1394～1460年）です。

エンリケは、北アフリカのセウタを1414年に攻略し、大西洋に沿って南下を試みさせましたが、季節にかかわらず北から南への風が吹くので、逆風を乗り切る航海術が未熟な彼らにはかなりの苦難でした。この時代には、ボハドル岬（現西サハラ）を越えられなかったのです。

それでも、のちに砂糖やワインの産地として大きな富を生むマデイラ島（サッカーのロナウド選手の出身地です）を発見し（1419年）、セネガルに到達して（1444年）、金の産地として知られたスーダン地方（サハラ以南地域）との交易を実現しました。そして、エンリケの没年（1460年）にはシエラレオネまで到達していました。

そののち、バーソロミュー・ディアスによる喜望峰の発見（1488年）、バスコ・ダ・ガマによるインド到達（1498年）と続き、いよいよ東アジアにやってきました。しかし、中国は朝貢貿易しか認めていなかったので、倭寇などと組んでの密貿易が主体で、その過程で日本に鉄砲が伝来しました。

ポルトガルはゴアとかマラッカといった重要拠点には城塞を設けましたが、広い面積を植民地にするようなことはしていません。こうしてポルトガルが、インド航路を開発したので、東西のパイプは格段に太くなり、近代世界の幕を開けたのです。そのことは、たとえば、日本語のギリシャとかイギリスというのが、実はポルトガル語起源といったことでも分かります。

ただし、ポルトガルの影の部分は奴隷貿易で、エンリケの在世中から奴隷の輸入は行われ、マデイラ島のサトウキビ畑などで使い、のちには、アメリカ大陸へ大量に輸出されました。奴隷制度そのものは、古代からあったのですが、ポルトガルやヨーロッパ列強は、この時代、消耗品として扱って死亡率も高く、自由民になるチャンスも少ない悪質なものでした（第25項目参照）。

45―アルハンブラ宮殿とコロンブスの新大陸発見の関係

スペインとポルトガルというふたつの国がイベリア半島にあるのは、スペイン語とポルトガル語というふたつの言語があるからと思っている人が多いのですが、逆で、さまざまなラテン語方言があったのが、スペインとポルトガルという国ができて、それぞれ出身地の方言を標準語に決めただけです。

スペインは15世紀にカスティリャ女王イザベラとアラゴン王フェルナンドが結婚して同君連合ができ、それが18世紀にひとつの国になって生まれました。レコンキスタの主役は、カスティリヤ王国でしたが、さらに、ポルトガル、大西洋岸フランス国境のナバラ、それに北東部のサラゴサを本拠にしたアラゴン王国がありました。このうち、ポルトガルは独自の道を歩み、ナバラ王国（フランシスコ・ザビエルの母国）は紆余曲折ののちに、スペインとフランスが折半することになります。アラゴン王国は、イタリアにもナポリやシチリアなどの領地を持って副王（ビレイ）を置いて統治しました。

カトリック陣営では、最後に残ったグラナダ攻撃に乗り出し、１４９２年に陥落させ、ムハンマド12世はアルハンブラ宮殿に名残を惜しみながらシェラネバダの峠を越えてアフリカに落ちていきました。

この制圧を記念して、イザベルとフェルナンドの「カトリック両王」の墓所がグラナダにあり、最初はアルハンブラ城内、のちに市内のカテドラルに改葬されました。

そして、余裕ができたイザベルはコロンブスを援助して、西回りでアジアを目指す航海に送り出したところ、偶然にもアメリカ大陸が発見され、膨大な量の銀がヨーロッパにもたらされて経済秩序は激変しました。

一方、異端審問やユダヤ人の追放などに舵を切ったことは、多文化の交流と国際的な経済の中心としてのスペインの長所を否定し、現在にまで悪い影響を残しています。

ヨーロッパ人で新大陸に初めてやって来たのはバイキングではないかとか、その前にアジア人が発見しているとかクレームをつける人がいますが、世界史に転機をもたらしたのは、間違いなくコロンブスの「発見」です。

コロンブスは、１４９２年10月12日にバハマのサンサルバドル島を発見しドミニカのサントドミンゴを根拠地に植民地支配を始めましたが、世界史を変える意味を持ってくるのは、コルテスとピサロがアステカ帝国とインカ帝国を征服したことによるものです。

コルテスは、キューバで働いていましたが、マヤ文明のことを聞き、ユカタン半島を制圧しましたが（１５１９年）、馬を知らなかったマヤ人は騎兵を巨大な怪物と思い降伏しました。さらに、メキシコ高原にアステカ帝国があることを聞き、モクテスマ２世に使いを送ったところ、皇帝はスペイン人たちを神の使いと誤解したのです。

コルテスは、１５２３年にカルロス１世から総督に任命され、アステカ帝国の圧政を不満としていた土着勢力の協力も得て、メキシコを併合しました。アステカ帝国では、生きた人間を黒曜石の刃物で切り刻み、銀の皿に載せた動く心臓を欠かさず神に捧げるというグロテスクな習慣があり、そんなことも周辺国から嫌われる理由だったのでしょう。

インカ王国では、フランシスコ・ピサロがアタワルパ帝を捕らえ、部屋を埋められる黄金と交換で釈放すると騙して黄金を集め、１５３３年に殺して併合しました。そして、ボリビアでのポトシ銀山が発見され（１５４５年）、メキシコでも銀山が見つかったことから、ヨーロッパへの銀の供給量が飛躍的に増え、「価格革命」が起こり、ドイツでは中世以来の豪商たちを没落させ、スペインは世界一の強国となったのです。

スペインの植民地統治は、イギリスのように先住民族を追い出して、大量の移民を送り込むのでなく、先住民族や混血者を臣民として扱いました。エンコミエンダ制という荘園制で農奴のようにしてインディオを働かせましたが、根絶やしにされるようなことはありませんでした。

ただし、カリブ海では原住民のほとんどは疫病の流行で死に絶え、代わりにアフリカから黒人が奴隷として連れてこられてサトウキビ畑で働かされました。

中南米でブラジルだけがポルトガル領になったのは、1494年にスペイン中部のトルデシリャスという町で結ばれた条約によるものです。西経46度37分より東をポルトガル、西をスペインの切り取り自由に任すというもので、時のローマ法王でチェーザレ・ボルジアの父であるアレクサンデル6世の仲介によるものです。

西回りでインドを目指したスペインとアフリカ経由の東回り航路を確保していたポルトガルの妥協の産物ですが、南米大陸でも東の3分の1を占めるブラジルは、意図したわけでないのにポルトガル領になったわけです。ポルトガル人でブラジルに最初に上陸したのは、カブラルという探検家で1500年4月21日のことです。

46 ― 欧州史上最大の帝国を獲得したカール5世とは

航海家コロンブスのアメリカ大陸発見は、タバコ、トマト、ジャガイモなどを旧世界にもたらしましたが、普及はそれほど早くはありませんでした。トマトやジャガイモは長いあいだ、観賞用植物でしかなく、本格的な食用への普及は18世紀になってからです。

ところが、コロンブスの最悪の土産である梅毒は、あっという間に世界に広まり、1512年には地球をほぼ一周して日本に渡来し、多くの戦国武将の命を奪いましたが、ヨーロッパに広まったきっかけは、その17年前のフランスのシャルル8世によるナポリ遠征です。

このころイタリアではルネサンスの花が咲き誇り、アルプスの北の人々を魅了していたし、十字軍以来の東方への情熱も消えはしていませんでした。そして、イタリア、フランドルをめぐるフランス王家とハプスブルク家の争いがヨーロッパ政治の中心課題となってきていました。

フランスがイタリアに介入する口実は、ナポリとシチリアの王にルイ9世の弟で野心家だったシャルル・ダンジューがなり、エルサレム王などを兼ねたことがあり、また、ルイ12世がミラノのビスコンティ家（あの映画監督も一族です）の血を引いていたことがあります。一方、ハプスブルク家はアラゴン王家からイタリアについての権利を引き継いだのです。

さらに、東西古今を通じて厄介な存在が亡命者です。アメリカのブッシュ政権が亡命者に騙され、イラクが大量破壊兵器の開発をしていると思い込み戦争を起こしたのは記憶に新しいのです。彼らは体制が覆らない限りは帰国できないから、デマを流し、母国の政権転覆を外国で訴えるので、いつの時代も要注意なのです。

このころフランスの宮廷でも、イタリアから官僚、技術者、商人、芸術家など、あらゆる分野の人が招かれ生活していました。彼らの多くは母国で悪い立場になって、出稼ぎや亡命をしていましたから、あることないこと取り混ぜて母国への冒険にフランス人たちを誘ったのです。

そして、より厄介なのは、百年戦争でも問題になったブルゴーニュ公国の扱いでした。ハプスブルク家のカール5世（スペイン王カルロス1世、フランス語ではシャルルカンが通称）は、ベルギーのフランドル地方ゲントという町に生まれました。ハプスブルク家伝来の所領のほかに、父方の祖母の実家ブルゴーニュ家（フランス王家の分家）からフランドル地方を継承していたのです。

しかも、スペイン王位をイザベルとフェルナンドから引き継ぐはずの叔父ファンが早世し、母であるファナを通じて、スペインの王冠やその植民地である南米、アラゴン王国領のナポリやシチリアまで集めてしまったのです。フランドルで生まれたカールはフランス語を母国語とし、自分が現実に支配するいかなる領地より、曾祖父でありその名を引き継いだシャルル突進公の本拠であるブルゴーニュのディジョンを欲していたというややこしさです（ブルゴーニュ公国の領地のうち、本領はシャルル突進公の死後に男系相続人がいなかったのでフランス王に回収されたが、フランドルなどは娘に相続された）。

カールは、そのライバルだったフランスのフランソワ1世（ベルディのオペラ「リゴレット」で「女心の歌」を歌うマントバ公のモデル）と反対に、健康や容姿には恵まれず、いつも口をあけていましたが、思索力に富み、意志は強固でした。カールとフランソワは選帝侯たちの投票で選ばれる神聖ローマ皇帝に立候補しましたが、カールが勝利して、神聖ローマ皇帝カール5世として即位しました。

しかし、フランソワは、英国王ヘンリー8世や、オスマン皇帝シュレイマン1世と結びました。結局、イタリアからは撤退せざるを得なかったのですが、ミラノからレオナルド・ダ・ビンチが『モナリザ』を携えてロワール渓谷にあるアンボワーズ城にやってきたのは、フランス国民にとって史上最大の戦利品となり、ロワールの城館ではフランス・ルネサンスの花が開きました。

フランソワ1世の息子であるアンリ2世の王妃は、カトリーヌ・ド・メディシスでしたが、彼女が持ち込んだ料理法はフランス料理の基礎になりました。しかし、カトリーヌはフィレンツェから毒薬や陰謀の手法も持ち込んだと言われています。

カール5世を悩ましたもう一人はマルチン・ルターでした。このころ、コンスタンティヌス帝時代に建てられたローマのサン・ピエトロ大聖堂が老朽化で崩壊の危機にあり、壮麗な建築に建て替える計画がありました。このために、免罪符というものを売って費用を調達しようとしたので批判が高まりました。

ルターが明らかにしたところ処罰されることになったのでアンチ教会を鮮明にしたところ、ハプスブルク家の支配を快く思わない諸侯にも支持されて、大勢力になりました。とりあえず、アウグスブルクの和議（1555年）で、諸侯はカトリックかルター派かをえらぶことができ、民衆はそれに従うということで妥協が図られました。しかし、それだけですむはずもなく、のちに、三十年戦争になります。

本書では宗教の教義について論じる紙幅もありませんが、ひとことでいえば、ローマ・カトリックは、イエス・キリストの教えをギリシャ哲学などで理論化し、ローマ帝国やヨーロッパの人々の国家観、人生観、自然観などで豊かに肉付けしたものです。その過程で、国家と並立し相互に助け合う秩序も打ち立てたわけです。

しかし、現実の体制に反対する人にとっては、教会もまた打倒すべき対象になりますし、聖書を読むと古代の素朴な教えと違うのでないかと疑問を持つ人も出てきます。

ただ、ルターの場合は、現実への疑問が出発点になっているだけに、何か新しい時代にふさわしい哲学がバックにあるのかといえば、そうでもなく、近代産業社会における生き方についての思想を背景にしたカルバン派ほどの広がりは持てなかったのです。

ですから、世界のプロテスタントのうち圧倒的多数はカルバンのほうの系統なのです。たとえばアメリカという国を生んだのはカルバン主義であってルターとは関係ありません。また、カトリックも綱紀粛正につとめ、理論武装して反撃に出ましたが、イエズス会の活動はもっとも重要なもので、それが日本などへの布教に繋がっていきます。

47 エリザベス女王より美しかったメアリー女王と英王室

カール5世とフランソワ1世の争いは、次の世代になると、フェリペ2世、アンリ4世、そして、イングランドのエリザベス女王といったあたりが登場人物になりますが、だいたい、信長・秀吉・

家康と同世代です。

カール5世の帝国はいかんせん広すぎたので、元来のハプスブルク家の領地であるオーストリアは弟のフェルディナンドに譲られました。また、フェルディナンドは結婚でハンガリーとボヘミアを手に入れたので、これでのちのオーストリア・ハンガリー二重帝国の基礎ができました。また、神聖ローマ帝国の帝位もフェルディナンドとその子孫が継承しましたが、皇帝の領地のうちハンガリーなど半分は帝国外で、イタリア、フランドルなど帝国の領地はスペイン王となったカールの嫡男フェリペ2世とその子孫が引き継いだので、帝位は形骸化してしまいました。

フェリペ2世（在位1556～98年）は、それなりに柔軟だった父と違い、カトリック擁護に徹し、それがゆえに成果を挙げ、また、大失敗もしました。レパントの海戦では無敵艦隊がオスマン帝国海軍に大勝利を収め、地中海の制海権をキリスト教側に取り戻しました。しかし、海賊上がりのドレークが率いるイギリス海軍に敗れて、海軍王国の地位を渡してしまいました。

フェリペはポルトガル王位もかねて同君連合を成立させ（1580年、母はポルトガル王家出身）、アメリカ大陸の開発は進み、フィリピンを領有化し、天正遣欧使節を迎えました。しかし、フランドルではプロテスタント諸侯を抑圧しすぎて、反乱を起こされ、現在のオランダの領域が独立してしまいました。フランスとカトー＝カンブレジ条約を結びロレーヌなど仏独国境で譲歩する代わりに、イタリアではナポリ、シチリア、サルディニアに加えミラノを獲得しました。

フランスは、フランソワ1世の子のアンリ2世が槍試合の事故で若くして亡くなり、ユグノー戦い争という宗教戦争に見舞われ、大勢のユグノー有力者が犠牲になったサン・バルテルミの虐殺という不幸もありました。しかし、バロワ家が断絶したことにより、ユグノー教徒だったブルボン家のナバル王（南西フランスの小王国）がアンリ4世として即位し、自身はカトリックに改宗しますが、プロテスタントの信仰も認めるという妥協が成立し安定しました（ナントの勅令）。

イングランドでは、カール5世やフランソワ1世の時代にヘンリー8世が、カール5世の叔母（フェルナンド王とイザベル女王の娘）であるキャサリン王妃が王子を産まないので離婚し、それを認めないローマ教会と絶縁しました。ヘンリー8世が6度の結婚をしてやっと得たエドワード4世が後を継ぎましたが夭折し、キャサリンの娘であるメアリーが女王になりました。このメアリーは王太子時代のフェリペ2世と結婚しましたが、これも死んで、最初の再婚相手であるアン・ブリーンとの娘であるエリザベス女王（在位1558～1603年）が即位しましたが、独身のままだったので、跡継ぎがいませんでした。そこで、にわかに注目されたのがヘンリー8世の姉の孫であるスコットランド女王メアリーでした。

このメアリーは、幼いときからフランスの宮廷で育ち、アンリ2世の長男であるフランソワ2世の王妃だったのですが、先立たれてスコットランドに戻っていました。それから30年近く、美しいメアリー女王は美しくないエリザベスと戦い、再婚して得た息子のジェームズにも裏切られて処刑されました。やがて、ジェームズはエリザベス女王の死後に英国王ジェームズ1世となり、スコットランドは事実上、英国に併合されました。

エリザベスの対外政策は、大陸のプロテスタントへの援助は控えめでした。

一方、スペインの新大陸との貿易独占への海賊行為を容認しました。1588年にスペインの無敵艦隊に勝利し、1600年に東インド会社を創設、ローリーによるバージニア植民地への進出を図るなど、女王がイニシアティブを取ったわけではないのですが、新しい動きにそれなりに手を貸しました。全般的に意外なほど安全運転でした。

「私ほど臣下を愛する国王はいない、何者も私の愛と比べるべくもない。私の前にある宝石ほど価値のある宝石はない。それは貴方たちの愛だ」という彼女の言葉のとおり、彼女が結婚もせず、イギリスという国を夫としたといってよいほどだったことが、国民から信頼され、歴史的にも高い評価を得ています。

48―商人国家オランダが長崎にやってくるまで

この時代は、オランダが事実上の独立を手にして世界へ発展していった時代です。ただし、オランダでなくフランドルという言葉もよく使いました。フランドルとは、本来、ベルギー北部の狭い伯爵領のことですが、旧ブルゴーニュ公国の低地地方全体を指すような使い方もされました。低地地方は、オランダ語ではネーデルランドです。オランダは反乱の中心になったホランド地方のことで、日本をヤマトと呼ぶのと同じです。

この地方では、プロテスタントの反抗が厳しくなり、これに対して、ネーデルランド総督となったアルバ公が「血の審判所」と呼ばれた機関を使って強圧を加えたので、反発はより広範囲になりました。実質上の初代君主は、オラニエ公ウィレム1世（在位1572～84年）で、いまでも、オランダの皇太子は、オラニエ公を名乗るのが慣例になっています。イギリスの名誉革命で、妻であるメアリー2世と共同君主にもなったウィリアム3世はオレンジ公と呼ばれますが、これは英語です。もともとは、南フランスにあってローマ遺跡を使った音楽祭で有名なオランジュを領地としていたことに基づきます。

ウィレム1世は、ナッサウ伯というドイツの小貴族でしたが、結婚でベラスケスの名画「ブレダの開城」で知られるフランドルのブレダ領主となり、さらに、フランスのオランジュ公領も獲得して、オラニエ＝ナッサウ家と呼ばれるようになりました。

皇帝カール5世に側近として仕え、ネーデルランド軍の副司令官となり、痛風で引退するカール5世がブリュッセルで行ったブルゴーニュ公としての退位式典では病身のカールの介添え役までしました。しかし、スペインは、反乱に与《くみ》しているとはいえない地元の諸侯にまで責任を問い、領地を没収したので追いつめられ、反乱側から請われてユトレヒト同盟（1579年）の盟主となりました。

戦いは、連戦連勝でもありませんでしたが、1581年には、連邦議会でフェリペ2世の統治権を否定し、これを普通には「オランダ独立宣言」といいます。独立は、正式には、ウェストファリア条約（1648年）で認められました。

このころから、海洋王国として世界の海に進出し、とくに、ポルトガルの拠点を片っ端から覆しました。マラッカ、ジャワ、セイロン、ブラジルの一部、ケープタウンなどいずれもそうですし、日本の鎖国というのも、ポルトガルやスペインを閉め出して対日貿易を独占したということです。

だが、やがて、エリザベス女王のイギリスが登場し、上記のうちマラッカ、セイロン、ケープタウンをとられ、北米のニューアムステルダムはニューヨークとなりました。

49―オスマン帝国とウインナー珈琲

東ローマ帝国を滅ぼしたのはメフメト2世ですが、その曾孫であるスレイマン1世（在位1520～66年）のときにオスマン帝国は全盛期を迎えました。父のセリム1世のとき、エジプト、シリア、クルディスタンを加え、エジプトを1517年に手に入れた際に、アッバース朝のカリフを名実ともに廃止させました。このときカリフの継承権を得たと言い出したのは、のちになってからのことです。

その子のスレイマン1世は、ベオグラードを陥落させ、ギリシャのロードス島も手にいれました。さらに、モハーチの戦い（1526年）でオーストリアを破りブダペストを占領し、ウィーンを包囲しましたが、失敗に終わりました。ただし、オスマン帝国とハプスブルク帝国の勢力逆転のきっかけになり、また、退却のときにあわてて残していったコーヒー豆と道具がヨーロッパにこの飲み物を普及させるきっかけとなったというのは、この100年ほどのち第2回のウィーン包囲のことです。

東方ではサファビー朝ペルシャを攻め、アルジェリア、チュニジア、リビアといったマグレブ諸国にも支配を及ぼしました。

イスタンブールは世界最大級の都市として繁栄し、統治機構も効率的でした。だが、フランスなどの商人に「恩恵」として認めていたビジネスの自由が「不平等条約」として機能する、広すぎる領土の維持費用がかさむといった問題がのちに出てきました。

また、皇帝の家族の扱いについても良くも悪くも非情さがなくなりました。オスマン帝国で「兄弟殺しの法」があって、スルタンになった者の兄弟は殺されることが多く、それをメフメト2世は法制化もしていました。たとえば、メフメト3世が1595年に即位したとき、19人の兄弟が割礼を施されてから絹布で絞殺されました。

1607年になってアフメト1世は、ハレム内の檻《カフェス》と呼ばれる区画に閉じこめ、宦官と不妊の妾が与えられ、スルタンが死ぬと後継者だけがカフェスから出される制度に変えました。

50―ロシアはモンゴル帝国の遺伝子を受け継いでいる

「雷帝」というのは、「超訳」の類いで、もともとの「グロズヌイ」は、恐怖を与えさせるといった意味で、雷とは関係ありません。ロシアは、キプチャク汗国《ジュチ・ウルス》によって「タタールの軛《くびき》」のもとに置かれました（1240年）。このころ、カトリックのドイツ騎士団が北方から攻撃しますが、これにキプチャク汗国に臣従しつつ立ちはだかったのがアレクサンドル・ネフスキーで、その子のダニールが興したのがモスクワ大公国です。

ロシア正教の教皇ともいえるキエフ総主教も、ウラディーミル（1299年）を経てモスクワに移転したので（1321年に移転。1461年になってモスクワ総主教に改称）、キエフ大公国の系譜を引くのはロシアということになります。

コンスタンティノープルが1453年に陥落して間もないころになって、イワン3世がビザンツ帝国最後の皇帝コンスタンティヌス11世の姪を妃に迎え、「ツァーリにして専制君主」と称し、キプチャク汗国からの独立を宣言し（1480年）、その孫のイワン4世（雷帝）が、キプチャク汗国が分裂してできたカザン汗国（1552年）、アストラハン汗国（1556年）を併合してロシア帝国が出来上がりました。

イワン4世は、モンゴル人の英雄の血も引いて、血統的にもタタールの臭いが強い王者です。1

５４７年には「全ロシアのツァーリ」を初めて名乗りましたが、その政策は大貴族を厳しく抑えるもので、民衆や中小貴族の発言力を強めました。外交では、強敵である黒海沿岸のクリミア汗国より、バルト海沿岸のリボニア騎士団の攻略に力を入れましたが、ポーランド・リトアニア連合の隆盛に押され気味で、バルト海への窓口を確固たるものにできませんでした。

イギリスとの通商を試み、夏の短い期間しか使えませんが、北極海につながる白海のアルハンゲリスク港を使うルートを活用し、エリザベス女王にイングランド王室の女性を妻に迎えたいと申し出たりもしました。

家庭的にはロマノフ家出身のアナスタシヤを溺愛し、１５６０年の彼女の死までは、おおむね名君として評価されましたが、そのあとは、残虐な行いや奇行が続き、皇太子だったイワンを自ら撲殺したことは、イワン４世を一生苦しめました。モスクワの赤の広場のネギ坊主頭の屋根の象徴になっている聖ワシリイ大聖堂（生神女庇護大聖堂《しょうしんじょひごだいせいどう》。生神女とは聖母マリアのこと）はカザン汗国の攻略を記念して１５６０年に完成したものです。

51 憧れのイスファハーンの薔薇とはなんなのか

現代を代表する洋菓子店として知られるピエール・エルメの名物は「イスパハン」というケーキです。深紅のバラの花と香りをライチーにあしらった名菓ですが、ヨーロッパの人々が抱くイランの古都へのあこがれを表現したものです。「イスファハーンの薔薇」というフォーレの歌曲に触発されたのでしょう。

16世紀末にサファビー朝のアッバース1世によって首都とされ、「世界の半分がここにある」といわれました。「王の広場（現在のイマーム広場）」を中心に、青いタイルの素晴らしい建築が並んでいます。またペルシャ絨毯の中心的な産地です。

サファビー朝は、シーア派国家としての現在のイランの原型になった王朝です。16世紀初め、イラン北西部のアゼルバイジャン地方から台頭し、16世紀末、イスファハーンを首都としました。

インドではイスラム教はなかなか広まりませんでしたが、11世紀からはガズナ朝、ゴール朝などイラン東部からアフガニスタンに拠点を置く王国が北インドに進出し、13世紀からは、奴隷王朝から始まるトルコ系軍人による諸王朝がデリーで栄えました。

さらに、モンゴル帝国の分派であるティムールの帝国が中央アジアで栄え、北インドまで浸透し、その一族であるバーブルがアフガニスタンからデリーに進出して1526年にムガール帝国を建国しました。

ムガール帝国というインド人の国があったのを、西洋人が征服したという印象を持つ人が多いのですが、バスコ・ダ・ガマがやってきたのはムガール帝国成立より先の1498年で、のちに植民地経営の中心になるゴアの獲得も1510年です。ムンバイ（ボンベイ）は、1534年にポルトガルが土豪《どごう》から購入したのを、1661年にポルトガル王女がチャールズ2世のところに輿入れしたときに、嫁資としてもってきたものです。

52―倭寇の跋扈と南蛮人の登場で満州人が漁夫の利を獲得

倭寇は、元寇で大きな被害を受けた対馬や肥前松浦郡の人たちが拉致被害者捜索や生計を維持するために始めたものです。それが第一次倭寇ですが、これは、室町幕府が貿易を許される条件で押さえ込みました。

しかし、明が貿易を政府間の勘合貿易に限り、量的にも極端に抑制したので、日本でも中国でも貿易を必要としていた沿岸部の人たちは困りました。唐なども私貿易を嫌いましたが、あまり取り締まらなかったので矛盾が噴出しなかったのですが、明は極端に取り締まったのでパニックが起きたのです。そこで、むしろ中国人のメンバーが多いくらいの第二次倭寇が盛んになりました。

中国人ですが、長崎県の平戸を本拠とした王直《おうちょく》はその代表的な存在です。倭寇に怒って日本の責任を問うて勘合貿易の枠を減らすと、倭寇は非公式貿易でのもうけが大きくなるのでますます元気になったのです。ちなみに、態度が良いとして枠を増やしてもらい、それを日本などに輸出したのは琉球王国ですが、貿易不足を補えるような量ではありませんでした。

また、16世紀になるとポルトガル人がやってきました。明帝国には最初は拒否されたので、ポルトガル人は倭寇と協力し、まず、日本にやってきて、鉄砲やキリスト教を伝えました。ザビエルは日本の布教のあとに中国への布教を試みましたが、本土には、上陸できず、マカオ沖合の上川島で死にました。

さて、日本と明の勘合貿易は、もともと明から日本への接近は倭寇の取り締まりを頼むのが目的で、その代わりに勘合貿易をさせてやろうということでした。最初は南朝方で大宰府を支配していた懐良《かねなが》親王のところに来て日本国王と持ち上げ、いちどは断られたのですが甘言を弄して承知させたものの、次に来日したときには親王の勢力は滅んでいました。

そこで京都に行ったら足利義満が勘合貿易にのると言い出しました。しかし、懐良親王をいったん日本国王にした以上、その正統な後継者とはいえないとか、義満には（北朝の）持明院とかいう主君がいるようではないかとかいう議論も北京ではありました。

しかし明も、義満は将軍を辞めており持明院の家臣ではなくなったらしいからいいだろうとかいうことにして誤魔化して目をつぶったわけです。

日本国内でも、前将軍が皇帝から日本国王という肩書きをもらって朝貢貿易をするというのは何事であるかと、当時から問題になりました。ただ、最近の研究では、足利義満も、皇帝の使いを上座に置くようなことはせず、配慮したようです。

しかし、その子の義持は日本人が形の上だけでも中国の皇帝の家臣になるのはとんでもないと、この関係を絶ってしまいました。そののち、勘合貿易は再開されましたが、実際には博多や堺の商人がそれぞれ大内氏、細川氏の後押しで行うという勘合貿易といっても名ばかりのものになってしまい、それも、大内氏の滅亡で終了してしまいました。

そして、豊臣秀吉の登場になるわけですが、そのころには、倭寇の取り締まりへの協力を条件に南蛮船が中国を含む東シナ海貿易の主人公になっていました。秀吉は直接貿易の復活を明に提案しましたが、明は倭寇の跋扈を理由に拒否しました。

そこで、それなら、明を征服してしまえと挙兵したわけです。文禄・慶長の役で、秀吉は最初はそれほど楽観的だった訳ではないのです。ところが、あっという間に王都漢城まで占領できたものですから、一気に明を征服するとかいい出したのですが、すぐにそんな簡単でないことは分かりました。

そこで、秀吉が狙ったのは、明の了解のもとで、朝鮮を庇護下に置き、領土を少し割譲させて、直接か間接かは別として明と貿易もしたいといったことを狙ったのだと思います。そして、まさにそれと同じことを琉球に対して島津氏が徳川家康の了解の下ですることになります。

このころ、朝鮮半島は李氏朝鮮の時代です。高麗が元の強いコントロール下にあったことはすでに紹介しましたが、1368年に元から明に移行したのを機に高麗は満州南部の遼東地方への進出を図りました。しかし、司令官の李成桂は、明の皇帝への反逆はよろしくないと、軍を翻してクーデターを起こし（威化島回軍《いかとうかいぐん》）、政権を奪った経緯もあり（1388年）、スタートからとくに中国に従属性の強い王朝でした。

文禄の役で秀吉が攻めてきたので、なすすべなく漢城は落城し、国王は明の庇護を求めます。明はあわてて大軍を救援に向かわせ平壌は回復しますが、漢城郊外の碧蹄館《へきていかん》で大敗を喫します。いったん和平をかわしますが、再び慶長の役が起きて、日本軍が東南部に城を築いて地道に戦いを進めている中で豊臣秀吉が死んで、いったん撤兵しました。なお、豊臣秀吉の生涯とその時代については、私の『令和太閤記　寧々の戦国日記』（ワニブックス）で詳しく書いています。

満州方面の軍隊を朝鮮半島に派遣したことは、明にとって財政的にも大打撃でした。モンゴル人たちを万里の長城の北側に追いやった明帝国ですが、その後もモンゴルとの戦いで苦しみ続けます。それでもなんとかしのぎ切り、モンゴル族は分裂状態になっていたのですが、豊臣秀吉の朝鮮半島出兵で満州に力の空白ができました。そこに女真族あらため満州族が台頭し、これが、モンゴル族も傘下に置きました。

しかも、モンゴル人たちが保持していた中国皇帝の玉璽《ぎょくじ》まで手に入れ満漢蒙三族の連合帝国である清の建国を宣言します。そして、万里の長城の東端である山海関を破って進軍し北京を陥れたというのが明の滅亡と清の成立ですが、詳しくは次章で説明します。

53―イギリス王室の歴史や君主の称号のいろいろ

２０２３年5月6日にチャールズ英国王の戴冠式がありました。世界でいま君主国は44です。ただし、15はイギリス連邦の構成国でチャールズ国王を元首としていますから、君主はバチカン、アンドラ、独立国サモアといった微妙なものも含めて30人です。

君主の肩書きは、国王（キング）が一番多く、英国王のほかオランダ、ベルギー、スペイン、ノルウェー、スウェーデン、デンマーク、ブータン、タイ、カンボジア、レソト、スワジランド、トンガ、バーレーンがそうです。ルクセンブルクが大公（グラン・デューク）、モナコが公（プランス）、リヒテンシュタインが侯（フュルスト）。

日本は天皇をエンペラーと訳しています。かつては、ドイツ、ロシア、中国などの君主が名乗っていましたが、今は日本だけです。オマーン、ブルネイがスルタン、クウェート、アラブ首長国連邦、カタールはアミール。

日本のように建国以来、万世一系というのはほかにありませんが、中国のように易姓革命で頻繁に王家が変わるのは例外で、ヨーロッパでもよほどのことがないと連続性は維持されます。

英国の場合でいうと、1066年にイングランドを征服したウィリアム1世（フランスのノルマンディー公）が神武天皇のような存在で、1154年にフランスのアンジュー公だったヘンリー2世がプランタジネット朝を開き、1485年にはウェールズに起源を持つヘンリー7世がテューダー朝を、1611年にはスコッランド王だったジェームズ1世がステュアート朝を開きました。

さらに、1714年にドイツのジョージ1世がハノーバー朝を始め、1901年のビクトリア女王の息子だったエドワード7世からは、父方の名前でサックス・コバーグ・ゴータ朝となりました。

しかし、第一次世界大戦中の1917年に敵国の地名はまずいとしてウィンザー家になったのです。

チャールズ国王は王家の名としてはウィンザーを使い続けていますが、父祖は父フィリップ殿下がデンマーク・ギリシャ王家出身なので、本来は、グリュックスブルク家ですが、結婚前に帰化して母方の名字であるマウントバッテンに改姓しているので、家系としてはマウントバッテン・ウィンザー家ということになります。ちなみに　父祖という観点から他の王家をみると、デンマーク、ノルウェーがイギリスと同じくグリュックスブルク家、ベルギーがエリザベス女王までのウィンザー家とザクセン・ゴータ・コバーク家、スペインとルクセンブルクがブルボン家です。

このあたりについては、『英国王室と日本人：華麗なるロイヤルファミリーの物語』（八幡和郎・篠塚隆共著、小学館）で詳細に論じています。

第七章

ウェストファリア体制・絶対王制・大清帝国

ワシントンの国会議事堂（アメリカ）

54―近代国際法秩序を生んだウェストファリア条約とは

私たちが生きている世界は、「すべての人類がどこかの国民であり」、「国民はそれぞれの国家の枠内で権利と義務を持ち」、「海外とのやりとりは自分の国を通してしかできない」「すべての国家は対等の存在である」ということを基本原則として動いています。

こうした秩序を、「ウェストファリア体制」と呼びます。ドイツ三十年戦争を終結させるための条約（1648年締結）ですが、そこに盛られた原則が、近代国際法の枠組みを確立したものとされているからです。

ベルサイユ宮殿などで繰り広げられたルイ14世の時代の宮廷生活を、国民に経済負担をかけての贅沢という人がいますが、貴族たちが城館にこもって反乱するたびにかかる軍事費や人命の喪失に比べれば安いものです。

王に「余の知らぬ者」といわれた貴族は面目も権力も失うといわれ、フランス国内だけでなく、ヨーロッパ中からその魅力に引かれて人々は集まってきたし、それは外交においても大きな力となりました。

しかし、イギリスでは王権神授説を振りかざしたチャールズ1世が清教徒革命でクロムウェルによって処刑されました。しかし、あまりにも窮屈だったので、そのクロムウェルの死後、英国民は王政復古を選びましたが、国王は君臨すれども統治せずの原則にだんだん近づきました。

中国はみずからを56民族からなる多民族国家と規定していますが、そのルーツは、創業者ヌルハチの子であるホンタイジが、1636年にモンゴル族の元朝から伝来の玉璽《ぎょくじ》を手に入れて、満漢蒙を統《す》べる大清帝国の建国を宣言したことに始まります。

ここでいうモンゴルは、のちに五族といわれるウイグルやチベットも含めた概念といって良いと思いますし、56民族というのは、それをさらに細かく分類したもので、同じことなのです。

ロシアはピョートル大帝という傑出した君主のおかげで一流国としての歩みを始めました。

そのころ日本は、鎖国をして200年以上、ほとんど国民の海外渡航も先進的な科学や国際情勢を扱った書物の輸入もせずに、世界の文明の進歩からは隔絶されていました。

55―ハプスブルク家とブルボン家の対決で勝負はついたのか

ハプスブルク家が君主を出すスペインとオーストリアでは、スペインはポルトガルと一時期は同君連合を組んで新大陸や世界の海を支配し、フランドルやイタリアの3分の1ほども領地としていました。また、オーストリアは中部ヨーロッパに領地を広げていました。

これにフランスなど各国が脅威を感じ、押さえ込もうとしたのが、1618年に始まった三十年戦争です。北方の大国スウェーデンに加えてカトリックのフランスがプロテスタント側を支援し、戦場となったドイツは人口の3分の1を失ったとすらいわれます。

ウェストファリア条約では、オランダとスイスの独立が最終的に承認されました。また、フランスはアルザスやロレーヌのかなりの部分を領地とし、神聖ローマ帝国の各領邦は主権と外交権を認められ、内政不干渉が明確化され帝国は名目的なものになりました。

つまり、フランスが西ヨーロッパにおける最大国家としての地位を固めたということです。そして、その立役者が、条約締結時には死去していましたが、ルイ13世の宰相のリシュリュー枢機卿（1585～1642年）でした。

西フランスの貴族の三男で、1614年に久々に召集された全国三部会での雄弁で、ルイ13世の摂政だった母后マリー・ド・メディシスの目に留まって中央政界入りし、やがて、宰相となりました。

フランスでは、プロテスタントでありながら、カトリックに転向して王となったアンリ4世によるナントの勅令で、信教の自由だけでなくユグノー側の都市は武装権まで認められていました。リシュリューは、ユグノーの拠点都市であるラ・ロシェルを武装解除しました。ただし、信教の自由は引き続き認めました。譲れぬ原則には強硬ですが、どうでもいいところについては柔軟だったことが、三十年戦争でプロテスタントを援助するという思い切った発想に繋がりました。

また、「無私」であると評価され、死の床での懺悔で「汝は汝の敵を愛しますか」と問われたとき、「私には国家の敵より他に敵はなかった」と答え、たとえ、最悪の敵であっても、彼がそういうことに傲慢だと異議を唱えることはしなかったといわれます。

リシュリューは文化の保護者としても有名で、アカデミー・フランセーズ（学士院）の創立者として知られます。悲劇作家コルネイユを育てたことは、フランスにおける演劇の隆盛の基礎となりました。

イタリア人聖職者のマザランを後継者として遺しましたが、リシュリューの考え方に沿いながらも柔軟なマザランは、ルイ14世の幼少期を母のアンヌ・ドートリッシュ（スペイン王フェリペ2世の孫）とともに良く支えました。この二人のコンビネーションは絶妙で、あまりの仲の良さに秘密結婚したという噂も出ました。

ルイ14世（在位1643～1715年）は、君主たる者に必要なすべてを備えた、「太陽王」（趣味のバレエで太陽神の役を演じたときの見事さに由来）というあだ名にふさわしい存在でした。知力、体力、勤勉さはいずれも抜群で、その態度は誰に対してもあくまでも優雅で温かい印象を与えました。軽率にものを言わないようにして、決して本心を悟られることなく、「考えておこう」というのが口癖でした。

フランスの国家システムは、ユーグ・カペー以来、数百年かけて磨き上げられていたものですが、ルイ14世の祖父であるアンリ4世が、宗教戦争に終止符を打ってからの進展はめざましいものでした。フランスの田園地帯を旅すれば、道路がひたすら真っ直ぐ延びていますが、これは、アンリ4世のもとで活躍したシュリーなどの成果です。

ルイ14世は4歳で即位したあと、フロンドの乱がありましたが、宰相マザランの才覚で乗り切り、大規模な貴族の反乱はそれ以降はありませんでした。経済では、コルベールによる重商主義政策が実施されました。

関税を収入確保のためだけでなく産業政策の道具として利用して国内産業を保護し、それまで、フランドルやイタリアに頼っていた贅沢品を国産化して、ゴブラン織りやセーブルの陶器に代表される産業を興したので、国家は豊かになりました。この発想は、日本でも薩長など西南雄藩によって採用され、明治維新の原動力になりました。

外交では、母后も王妃もスペイン王家の出身でしたので、ハプスブルク王家が断絶したとき、孫をフェリペ5世としてスペイン王座に就けました。スペイン領のうち、現在のベルギーやイタリアでの領地の一部はオーストリアのハプスブルク家に分与しましたし、イギリスにはカナダの一部を取られましたが、スペインとドイツのハプスブルク家に挟まれるという地政学からは解放されました。

また、アルザスやロレーヌ、さらにはライン川流域においても辛抱強く、エクサゴンヌ（六角形の国土）の安全な蓋を完成していきましたが、希代の築城家であったボーバンが築いた星形要塞は一世を風靡し、函館の五稜郭もその手法によっています。

ナントの勅令を1685年に撤廃してユグノーを追放したことは、商工業者が多く含まれていたので、彼らがオランダやプロイセンに逃れたことは、これらの国の発展に資した反面、フランスの力を減じたといわれています。

それは真理の一端ですが、フランスの長所というのは、カトリックであるがゆえでもあります。プロテスタントの禁欲主義と対局のところに、フランスの料理も建築も美術、演劇、ファッションなどすべてがあるのであって、ユグノーのフランスが同じものを生み出し得たとは思いません。

日本ではプロテスタントのほうが影響力が強いので理解されないところですが、カトリックは人間は弱いものという前提で神様に懺悔して謝るとか、寄付などして埋め合わせをすればいいので、文化の発展には好都合なのです。料理など美味しいのはカトリック圏でプロテスタント圏はダメです。

56―清教徒革命がアメリカ政治の精神の出発点だ

アメリカ合衆国の国家としてのはじまりは、独立戦争であり、その母体となった13州はバージニア植民地の創設に原点があります。しかし、アメリカ的な精神の基礎は、ピルグリム・ファーザーたちが1620年にマサチューセッツ植民地に上陸したことによって打ち立てられたものです。

そして、この少しあとにイギリスでは清教徒革命が起きて、チャールズ1世を斬首刑にしていました。そういう意味で、アメリカという国は、イングランドの清教徒たちの遺産を濃厚に受け継いだ国です。

また、イギリスもクロムウェルの厳格さに嫌気がさして王政復古を受け入れたものの、その後の名誉革命によって、清教徒革命の論理をかなり復活させていますし、純粋で潔癖だったクロムウェルは、なお、イギリス史上の偉人として一定の尊敬を保っています。

現在でも、イギリス国王になる条件は、ジェームズ1世の孫娘であるハノーバー公妃ゾフィー(ソフィア)の子孫で、プロテスタントであることとされており、クロムウェルが殺したチャールズ1世の子孫は注意深く排除されています(もっとも、ダイアナ妃とその子であるウィリアム王子はチャールズ2世とフランス人の愛人の子孫)。

政治家でもカトリックであることは、大きな支障になるらしく、トニー・ブレア首相がカトリックに改宗したのは首相辞任後でした。

エリザベス女王を引き継いだジェームズ1世(在位1603~25年)は、王権神授説を奉じて議会と対立し、イギリス国教会の立場からピューリタンを迫害しました。ピルグリム・ファーザーズの北米への移住はそういう背景のもとで行われました。

その子のチャールズ1世(在位1625~49年)は、強硬姿勢を貫いたので、議会との対立が深刻となり、ピューリタン革命が起きました。

オリバー・クロムウェルは、ケンブリッジ大学で学び下院議員となり、内戦のなかで指導者として頭角を現して1653年に議会を解散させて終身護国卿(護民官)となりました。また、アイルランドのカトリック教徒を弾圧し、演劇など娯楽や贅沢は禁止し、日曜日の安息は厳しく守られました。

クロムウェルが59歳で死んだときには、人々はほっとし、死刑にした国王の息子で大陸に亡命していたチャールズ2世を迎えて王政復古を選びました。ただ、彼らは大陸からあまりにも「何も学ばず、忘れず」に帰ってきたので嫌われました。結果、チャールズ2世の弟であるジェームズ2世は、「名誉革命」（1688年）で追放され、娘のメアリとその夫でプロテスタントだったオランダ総督オレンジ公ウィリアム（オラニエ公ウィレム）が共同君主として迎えられました。

ウィリアムはオランダの事実上の国王でした（現在のような王制になったのは19世紀）。この間はイギリスとオランダは同君連合を構成し、ルイ14世との戦いで同盟を結びました。また、ホイッグ党に内閣を組閣させて政党政治への道も開き、イングランド銀行を設立して国家財政の基礎をつくりました。

メアリの妹（ジェームズ2世の娘）であるアン女王のときには、スペイン継承戦争と北米植民地でのアン女王戦争で勝利し、ジブラルタル、カナダのアカディアとニューファンドランド島、ハドソン湾地方を得ました。そして、1707年には、同君連合でしかなかったイングランド王国とスコットランド王国が合同しグレート・ブリテン王国となり、その後、1801年には、アイルランドも国名に入り、1927年からはUnited Kingdom of Great Britain and Northern Ireland、略してU．Kとなっています。

57 プーチン大統領とメルケル首相の執務室の肖像画

ロシアのプーチン大統領の執務室には、ピョートル大帝（在位1682〜1725年）の肖像画が掛けられ、ドイツのメルケル首相の卓上には、エカテリーナ2世（在位1762〜96年）の肖像が置かれているといいます。

イワン雷帝のもとでユーラシアの大国としての地位を固めたロシアですが、その発展は遅れました。イギリスのエリザベス女王、フランスのアンリ4世、スペインのフェリペ2世がだいたい信長・秀吉・家康と同世代といいましたが、そのころロシアは、ムソルグスキーのオペラ「ボリス・ゴドノフ」で描かれたようなおどろおどろしい時代で、ポーランドに侵略されて首都モスクワが陥落したりしました。

その原因のひとつは、バルト海とか黒海に出ることができなかったためです。ところが、ピョートル大帝のときにバルト海沿岸を確保して、サンクトペテルブルクを建設して首都とし、エカテリーナ2世のときに、キプチャク汗国の後裔でありオスマン帝国の影響下にあったクリミア汗国を滅ぼして黒海に出ることに成功し、これで、ようやくヨーロッパと自由に行き来できるようになったのです。

ピョートルは西欧諸国との同盟を探り、また、海軍や産業の近代化を図るために、1697年に約250名の使節団を派遣し、自身も偽名で参加しました。

オランダとイギリスに長く滞在し、身長が2メートル13センチもあったピョートルは自らも船大工として働いて造船技術を習得しました。ピョートルは多くの外国人技術者を雇い入れました。ただ、狙いとしていたオスマン帝国への共同戦線は、フランスと他国との対立が激しい中では難しく、狙いをバルト海に変更しました。

ライバルは三十年戦争の結果として旧東ドイツの海岸地帯に広い領地を持ち、バルト海を支配する大国となっていたカール12世のスウェーデンでした。ピョートルはポーランドやデンマーク＝ノルウェーと北方同盟を結び、オスマン帝国ともコンスタンティノープル条約を締結し、「大北方戦争」を始めました（1700年）。

このころ、現在のウクライナ中央部では、コサックという騎馬軍団がヘーチマン国家という形で自治を行って、最初はポーランドに臣従していましたが、1648年のフメリニツキーの乱からはロシアに乗り換えていました。ところが、この戦争の時に首領のマゼッパはスウェーデンにつきましたが、ロシアについた勢力もいてその一人がチャイコフスキーの曾祖父でした。ですから、ロシアの側からみたら、ウクライナのゼレンスキー大統領とマゼッパが重なってみえるわけです。

カール12世の死ののち、ロシアが勝利し1721年のニスタット条約で、ロシアはバルト海への出口を確保したのです。

そして、ピョートルは、1721年にモスクワからサンクトペテルブルクへ遷都しました。ネバ川の河口のデルタ地帯に建設されたこの町は、木造建築でできたモスクワと違い、石と煉瓦でできた近代都市でした。サンクトペテルブルクは、ドイツ語で、第一次世界大戦中になってペトログラードとスラブ風に改名され、ソ連時代はレニングラードと呼ばれましたが、ペレストロイカののち、サンクトペテルブルクに戻されました。

エカテリーナ2世は、黒海沿岸への攻撃を強め、1780年代にウクライナ・コサックの自治を廃止し、クリミア汗国を滅ぼし、さらに、黒海沿岸からオスマン帝国を追い出して、ヘルソン、マリウポリ、セバストポリ、オデッサなどの都市を建設し、黒海北岸地方は、ノボロシアと呼ばれるようになりました。

58 ― フリードリヒ大王とプロイセンの世界史への登場

ドイツに発展するプロイセン王国のホーエンツォレルン家は、もともと、南西ドイツのシュッツトガルト付近を領地とするツォレルン伯爵でしたが、15世紀に皇帝ジギスムントからブランデンブルク選帝侯を譲られました。16世紀には、一族のアルブレヒトがバルト海沿岸でドイツ騎士団総長となり、これがポーランド王の家臣であるプロイセン（現地語でプロシャ）公となり、のちに本家と合一して1618年にブランデンブルク＝プロイセンが成立しました。

その後、スペイン継承戦争での活躍を認められて、フリードリヒ1世が「プロイセンの王」を名乗ることを皇帝から許されました（1701年）。

フリードリヒ2世（大王）（在位1740～86年）は、父を嫌い、母親やフランス人の家庭教師の影響で教養溢れる少年に育ちました。国王となるや、典型的な啓蒙君主として学問の振興、宗教についての寛容化、貧民の救済、裁判の公正化、拷問の廃止などを実行し、哲学者ボルテールと文通や招聘したり、ロココ文化のパトロンとして、ポツダムにサン・スーシー宮殿を建設し、バッハやモーツァルトを招きました。自身もフランス語を好み、フルートの名手でした。

しかし、専制君主として強権政治もするし、外交政策では利己的そのものでした。オーストリアでマリア・テレジアが本来は許されない女系相続をしようとしたのにつけ込んで、現在はポーランド南西部になっている石炭の産地であるシュレジエン（シュレジア）を奪い取り、ロシア及びオーストリアと3度にわたってポーランドを分割して消滅させ、ブランデンブルク領とプロイセン領の間にあったグダニスク（ダンツィヒ）を確保し領土の一体化に成功しました。

ちなみにポーランドは14世紀から17世紀にかけて栄え、リトアニアと合邦していた時期もありますし、16世紀にはコペルニクスを輩出しましたが、王権が弱く絶対王制の時代に乗り遅れました。

このフリードリヒ大王の二面性は、プロイセンそのものを象徴していました。荒野が広がる土地では、ユンカーといわれる武装地主が、農奴のように農民を支配していました。一方、晩年のルイ14世がナントの勅令を廃止してプロテスタントを追放したときには、大量のユグノーを受け入れ、フランス人の技師たちにベルリンやポツダムを建設させたりしたのです。そういう前近代的な面と先進的な側面を両方体現していたのがフリードリヒ2世であったといえます。

59 ― ムガール帝国と大清帝国の賢帝たち

モンゴルを意味する名のムガール帝国は、16世紀にティムールの子孫が建国したことはすでに紹介しましたが、全盛期を迎えたのは、3代目のアクバル（在位1556～1605年）のときです。若いころはペルシャに亡命していたこともあって国際感覚が豊かでした。彼は、ペルシャ人、ウズベク人、インドのラージプート人などをうまく使い、北はアフガニスタン、東はベンガル、南はデカン高原の手前までを版図に入れました。また、税金の金納を勧めたので、経済はおおいに活況を呈しました。

異教徒に課せられていたジズヤ（人頭税）を廃止するなどし、アクバル自身を教祖とする統合新宗教の樹立を夢見たといいます。

有名な、タージ・マハルは、5代目のシャー・ジャハーンが、先立った王妃を悼んで墓所として建設したものです。領地は6代目のアウラングゼーブ（在位1658～1707年）のときに最大になり、インド亜大陸のうち最南端以外は征服しましたが、ジズヤの復活など寛容性のない宗教政策をとり、ヒンドゥー教徒の支持を失いました。

中国で、清国が多民族国家として円滑にスタートできて、しかも、300年近く維持されたのは、康熙帝、雍正帝、乾隆帝がまれに見る名君だったことによります。乾隆帝の晩年にはちょっと疑問符がつきますが、康熙帝と雍正帝にはほとんど悪口が出ません。

康熙帝（在位1661～1722年）は黄河の治水や大運河の改修、海禁政策の見直しによる銀の不足解消などで経済は活発化しました。宮廷生活は明に比べて質素にしましたが、熱河の承徳離宮は立派なものにして、夏にはモンゴル族などの有力者と狩猟を楽しみ、天幕で生活して彼らとの仲間意識を大事にしました。

康熙帝は努力家で、俊敏、剛毅で洞察力に富み、抜群の記憶力を持っており、北京の宮廷に来ていた宣教師たちは、ルイ14世に匹敵する君主とローマに報告しました。彼らの助言も受け入れ、ロシアとネルチンスク条約を結んで沿海州方面への南下を防いだので、ロシアは極寒のオホーツク（北緯59度）にしか港を得られませんでした。

「遠くより人を思いやり、有能な人物を側に置け。民を養い、万人の利益こそ真の利益と心得、民心こそ真の心と心得よ。危険が迫る前に天下を守り、禍が生じるまえに善政を施せ。勤勉をむねとし、いっときも注意を怠るな」と遺言しました。

雍正帝（在位1722～35年）は、1日に4時間しか寝ず、地方官からの上申書にひたすら目を通し、官僚を指揮し、皇帝が意中の名を紫禁城の扁額《へんがく》の後ろに置き、崩御してから開封する「太子密建法」で跡目争いを防ぎ、官吏の給与を上げ、経費も予算化することで、裏金や汚職を排除しました。上皇陛下が模範の一人としておられるといわれます。

乾隆帝（在位1735〜95年）は、10回の大遠征を行い、全勝したと誇り「十全老人」と自称しました。乾隆帝のときに、清の領土は現在の中国の領土のほか、外モンゴル、それに現在の新疆省の外縁部までを含む広大なものになりました。

世界にまったく門戸を開かなかったのでなく、新大陸からトウモロコシ、ジャガイモ、落花生など新しい作物がやってきて、米も東南アジアから新品種がもたらされ、二期作、二毛作など1年になんども収穫することが一般的になりました。中国で長粒米が多いので、日本の稲はどこから来たのだろうと疑問に思う人がいるのですが、もともと江南地方ではジャポニカ米が主流だったのです。

この転換のおかげで、人口も1億数千万人から3億人に倍増しました。

イギリス国王の使節であるマッカートニーが通商を求めたときには、「地大物博」、つまり土地が広く物は何でもあるので、貿易などしなくても構わないと言いはなったものです。

彼らは、文化事業にも力を傾注し、「康熙字典」（字体を確定）や「四庫全書」（古今の重要な書物を整理所蔵）を設置しました。

しかし、この国は、いくつかの根本的な矛盾を抱えていました。第1に、経済の好調と平和が故に人口が増えたのに、海洋に興味がなく、新大陸をヨーロッパ人に先んじられてはけ口がなかったことです。

第2は中国文化への過剰な誇りがゆえに、日本のように大胆な「文明開化」に踏み切れなかったこと。

第3は満洲族優先にこだわったので、軍事でも行政でも人材不足となり、きめ細かい行政も強い軍隊も創れなかったことです。少数の満州族が統治する清朝では、中枢的な行政組織は、皇帝独裁で強固で能率的に動いていました。一方、地方では、伝統的な支配層を通しての間接支配にとどまりました。しかも、彼らがひどい収奪をしたことで、農民の不満が蓄積されていきました。

乾隆帝はルイ15世とほぼ同じ世代です。ただし、乾隆帝は数えで85歳まで皇帝でしたし、院政も敷いたので、亡くなった年にはナポレオンが政権についていました。ベルサイユ宮殿を舞台にバロック・ロココ文化が栄え、宮廷文化の最後にしてもっとも豪華絢爛なフィナーレが演じられたのと同じく、中国四千年の総決算というべき時代でした。

堅物だった祖父や父と違い、市井の料理屋に現れたり、西域のカシュガル出身の香り立つ肌の美女を愛したといったエピソードにも事欠きません。

この三人の賢帝の時代、つまり康熙帝が即位した1661年から退位して院政を敷いていた乾隆帝が死んだ1799年までは、まさに清朝の黄金期でした。清国がダメになったのは、アヘン戦争のあとなのです。

同じ時期の日本と言えば、将軍も大名もバカ殿ばかりの徳川幕府が鎖国などして、世界の文明に背を向け、飢饉が続出し餓死者もたくさん出て人口も停滞していたのです。バカ殿ばかり続いたのは、江戸時代の殿様は正室の子の割合が公家や室町・鎌倉時代の将軍や守護に比べて少なく、側室には本人も実家も野心を持ちそうもなく教育もない平凡な女性が好んで選ばれていたから当然です。

60　朝鮮・琉球・ベトナム・そして鎖国日本

「大清帝国」という言葉があります。ドラマなどで西太后などが「我らが大清帝国の行く末は」という台詞を言うと、とても似合っているのですが、これは日本からの外来語らしいのです。そもそも帝国という言葉は中国語になく、日本でエンパイアの訳語として成立し、「大日本帝国」と名乗ったものですから、清の人も真似して使い出したようです。同様に王国という言葉もキングダムの日本語訳のようです。

また、冊封関係という言葉も、中国や韓国ではほとんど使わず、愚かな日本の媚中《びちゅう》学者が、中国中心の華夷秩序が東洋の国際関係の原理だとかいって流行らせただけです。たしかに、清と朝鮮の関係は、中国の皇帝から任命されてはじめて王となることができ、暦も中国のものを使っていましたから俗に言う冊封関係のイメージに近いです。しかし、日本は、そういう関係を結んだことは一度もありません。

日本では織田信長とその後継者である豊臣秀吉のもとで、中世的な社会から脱し、当時の世界でも、もっとも絶対王制に近い体制の構築に成功していました。とくに秀吉のもとで行われた改革があらゆる分野に及んだことは、ナポレオンを想起させるほどでした。

近年は信長・秀吉・家康の中で秀吉の人気がないのですが、それは朝鮮遠征をしたことから、過小評価しないといけないという政治的な動機で歪曲された政治観だと思います。

　朝鮮半島では、豊臣秀吉の死に伴う日本軍の撤収と、徳川幕府との和平でつかの間の平和が訪れましたが、満州族の後金《こうきん》と明が争うようになって朝鮮は右往左往します。しかし、後金が清と国号を変更し、清への服従と朝貢と明攻撃のための派兵を要求すると朝鮮はこれを拒んだのですが、太宗《ホンタイジ》は自ら親征し（丙子胡乱《へいしこらん》）、清への服従、明との断交、王子を人質とすること、賠償金を支払うなどを約束させ、ソウル郊外の三田渡《さんでんと》で仁祖《じんそ》は太宗に三跪九叩頭《さんききゅうこうとう》の礼（三度跪き、九度頭を地にこすりつける）をするはめになりました。

　朝鮮王国は明とのとき以上に屈辱的な関係に置かれ、朝鮮は徳川幕府へいわゆる朝鮮通信使を将軍の代替わりごとに派遣することについて了承を取り付けました。これも、ゆるやかとはいえ一種の朝貢にほかなりませんし、それは、清の立場からすれば容認できないのですが、清も日本の機嫌をそこねると面倒になると朝鮮に言われればそのとおりなので黙認することになりました。

　また、明の残党は華南で抵抗を続けましたが、とくに、日本人との混血である鄭成功《ていせいこう》は、台湾のオランダ人を追い出して独立王国を築き、日本に救援を求めました。紀州藩主徳川頼宣が軍勢を率いて渡海することを望み、その案が通りそうになったのですが、彦根藩主で長老だった井伊直孝らの慎重論により実現しませんでした。

　朝鮮半島の混乱にせよ、鄭成功の依頼にせよ、日本が派兵すれば、かなりの成果を得たと思われます。朝鮮や鄭成功と連携する可能性もありましたし、清と組む可能性もあったわけです。そうすれば、東シナ海の制海権や、大陸沿岸での根拠地の確保くらいはそれほど難しくなかったように思えます。文禄・慶長の役で海外での軍事行動のノウハウは蓄積されていたのですから、可能性はおおいにありました。しかし、徳川幕府は傍観し、また、キリシタンの浸透をおそれて、鎖国してしまったのです。

鎖国といっても、長崎でオランダに公館を置かせて貿易し、清の商人による貿易も認めました。また、朝鮮とは対馬の宗氏を通じて細々と貿易を続けました。さらに、中国と冊封関係を持つ一方で、住民は言語などからも日本人であり日本の国内という認識もあった琉球は、1609年に薩摩の島津氏が支配下に置き、薩摩藩の保護国のような位置づけにして、将軍にも服属する形がとられました（薩摩藩の石高には琉球も入っていた）。しかし、琉球は明や清と朝貢貿易も続けたので琉球や薩摩を通じての貿易もありました。

しかし、いずれにせよ、日本人の海外渡航は全面禁止でしたし、キリシタン関係の情報は漢籍といえども輸入禁止でしたから、実際上、西洋事情を著した漢籍もほとんど入ってこず、鎖国という言葉はなにも大げさではありません。

西洋の知識がどれだけ入ってきたかは、分野にもよりますが、鎖国した2世紀半の分が丸々遅れになったことも多くあったのです。たとえば、黒船がやってきたとき火縄銃のままでしたし、主要街道も家康のときのままで江戸・京都間は15～20日かかり、船は大型船の建造を禁止したのでレベルダウンして外洋をほとんど航行できませんでした。

そして、ウェストファリア条約も知りませんでしたから、まっとうな、外交交渉もできなかったのです。教育水準も天保年間（1830～40年）になってようやく、全国の主要藩に藩校が出そろい、寺子屋も普及しましたが、藩校では漢学しか教えませんでしたし、寺子屋は初歩の読み書きそろばん程度でした。識字率が高かったというのは、中国での識字率を数千字の読み書きではかり、日本では仮名ができるかで計ったときに高いというだけで、比較そのものが馬鹿らしい話です。

61―韓国・朝鮮がアジアの混乱を引き起こしてきた歴史

朝鮮半島の歴史については随所で書いてきましたが、複雑なので、整理しておきます。いわゆる新羅による三国統一までの半島各国は、中国に朝貢はしていましたが、それほど強い従属関係になかったのです。

しかし、新羅は唐からの最低限の独立を維持し、高句麗の一部や百済の旧領を併合する代償として強い従属関係を受け入れました。高麗はそれよりは独立志向が強かったのですが、明に対しもっと従順であることを主張して成立したのが李氏朝鮮です。

清の時代に、中国の皇帝から、ベトナムと琉球も冊封を受け、似た儀式もしていましたが、ベトナムの従属性は希薄なうえに、周辺国家に対しては優越した外交関係を持ち、琉球は実質的には島津氏の支配下にあることは清も最初から承知していたのです。つまり、朝鮮の地位は東アジアの一般的な外交秩序に従ったものでなく、唯一のユニークなものでした。

一方、日本に対しては、文禄・慶長の役の後始末として、対馬藩を窓口に小規模の貿易をしたり、将軍交代の際に祝賀使節として通信使を派遣していました。これを対等の関係と韓国では言う人があり、日本でも勘違いしている人がいますが、少なくとも日本側の位置づけとしては将軍への一種の朝貢使節でした。

にもかかわらず、明治新政府は、国際法に基づく対等の国交を結ぼうと勅書を出したのですが、朝鮮王国は中国の皇帝でないのに「皇」とか「勅」という字を使った文書は受け取れないとか嫌がらせをして紛争になり、日本軍が派遣され中国からの独立を前提にした江華島条約を結びました。

このあと、若い高宗（在位1863～1907年）を挟んで、実父の大院君《だいいんくん》と王妃の閔妃《びんひ》が外国勢力を引き込んで争い、しかも、頻繁に手を結ぶ相手を変えて、日清両国は翻弄されました。

日清戦争の下関条約で朝鮮の独立が確認されると、朝鮮王国は大韓帝国になったのですが、日本を排除しようとしてロシアとの連携を試みたので日露の対立が激化して日露戦争の原因になり、そうした事態を繰り返さないために、国際的な承認のもとで保護国化され、さらにその条約を遵守しなかったので、日韓併合となってしまいました。

条約などの軽視、決めたことの蒸し返し、政権交代のあとの前政権への追及の激しさ、どんどんエスカレートする空想的歴史観などは今に始まったことではありません。

近年の南北朝鮮にしても、大国を天秤にかけて迷走しているのは同じです。韓国も北朝鮮も日米中露を手玉にとって外交巧者を気取っていますが、こうした瀬戸際外交は世界平和のためにも、自身の安全のためにも良い結果にはつながるはずがないのは世界史と外交の常識です。

韓国・朝鮮の地理的位置は、ヨーロッパにおけるオランダやベルギーに似て、大国に翻弄されていると彼らが思うのは同じです。しかし、オランダやベルギーは英仏独が対立しないようにするための潤滑油ないし接着剤としての役割を果たしています。それに対して南北朝鮮にはその気はまったくないように見えないし、むしろか煽《あお》っているように見えます。彼らが、緩衝国家としての前向きの役割を望むなら間違いなく可能ですし、たとえば国際機関の長や本部はほとんど独占できるだろうに馬鹿げたことに見えます。

第八章

アメリカ独立・フランス革命・大英帝国

パリの凱旋門（フランス）

62 — マリー・アントワネットが王妃でなかったら革命はなかったか

芸能人まがいのセレブ生活を自由に楽しむプリンセスたちは、ある種の人気を得ますが、そのことが政体の安定に役立ったことは一度もなく、国家にとっても王室にとっても百害あって一利なしです。

フランスはフレンチ・インディアン戦争（7年戦争）でカナダなどを失ったので、アメリカ独立戦争を積極的に支援し、ラファイエットらが義勇兵として参加しました。そのかいあって、アメリカ合衆国が成立しました。

しかし、独立後のアメリカは、フランスにあまり報いなかったので、フランスにとっては面白くないことになりました。しかも、国内的には革命的な気分が高揚し、国内の改革を不可避にしていました。

状況としては、貴族や教会の特権を民衆の力を背景に国家が奪うチャンスだったのですし、ルイ16世は心優しく、啓蒙思想の影響をある程度受けて、穏健な改革を志向したようですが、優柔不断で、王妃を中心とした保守派に振りまわされ、それが王がギロチンにかけられる原因になりました。

フランスでは、そののち、ナポレオン帝政、王政復古、立憲君主制へ向けた7月革命、社会主義者らも参加した2月革命、第2帝政、パリ・コミューンなどを経て共和政が定着し、世界の民主主義の進展に大きな影響を及ぼしました。また、このなかで、ドイツとイタリアが国民国家としての統一に成功しました。

イギリスではビクトリア女王のもとで、ディズレーリやグラッドストンのような優れた政治家が出るなど黄金時代でした。ただし、中国やインドなどに対してずいぶんと強面の政策を展開しました。とくにアヘン戦争は大きな汚点です。

アメリカはワシントン以下すぐれた大統領のもとで、大きな発展を遂げていきましたが、のどに刺さった棘と言うべきなのが奴隷問題で、それは南北戦争に発展しました。また、中南米の各国は独立していきました。

ロシアは17世紀にバルト海、18世紀に黒海に港を獲得し、さらに、1860年にはウラジオストックを手に入れました。清国は乾隆帝のもとでの全盛期から衰退期に入り半植民地化していきます。アヘン戦争の敗戦で目覚めなかったことが問題だったのです。一方、日本では西南雄藩の下級武士などが覚醒し、やがて封建政府を倒して、文明開化と近代国家の建設に向かって邁進することになります。

63―ワシントンに男子がいたらアメリカ国王になったかも

アメリカ独立戦争より少し前の時期、カナダを領有していたフランスはインディアンと結び、オハイオ方面への進出を狙っていました。あまり多くの移住者を出せないフランスは、先住民族との協調を目指していたのです。

それに対して、イギリス及びその植民地であるバージニアなどは、インディアンを追い払ってこの地方を開発しようとしていました。

その結果として勃発したフレンチ・インディアン戦争（１７５６年。欧州では7年戦争）で、民兵大佐として従軍し大活躍したのがバージニアの大地主であるジョージ・ワシントンでした。ところが、この勝利のあと、ワシントン自身も含めたバージニアの富豪たちはイギリス本国と対立します。

ひとつには、現地ではアパラチア山脈の西側へ向けて彼らが開拓することを希望していたのに、英本国は嫌ったからです。また、本国がフレンチ・インディアン戦争の戦費を植民地にも分担させるために茶などに新たな税金をかけようとしたことです。これに抗議して、ボストン港でイギリス商船を地元民が襲ったボストン茶会事件をきっかけに、１７７５年から独立戦争が始まりました。

そして、１７７６年7月4日のフィラデルフィアにおける大陸会議で、ジェファーソンが起草したアメリカ独立宣言が採択され、この日が独立記念日となりました。

アメリカ大統領のポストは、ワシントンという適任者がいたから創られました。当時、ヨーロッパでは同君連合が流行っていました。危うい連帯を維持するには、各州から超然とした君主が不可欠でしたが、問題はそれにふさわしい人物がいるかでした。

しかし、ワシントンは１８８センチの見栄えがする肉体を持ち、物腰もヨーロッパのどんな国王より君主らしくぴったりでした。ワシントンに息子がいたら、王制になったかもしれません。アメリカ大統領というポストは、国王の代替として設けられたのです。

64——ナポレオンはやはり世界史の偉人だといえるこれだけの理由

マリー・アントワネットの両親は、ハプスブルク家のマリア・テレジアとロレーヌ（ロートリンゲン）家のフランツです。マリア・テレジアは保守的でしたが、沈着で威厳と政治力があり、フランツは軽薄だったが、良き家庭人で、進歩的で財務など実務的手腕がありました。しかし、娘マリー・アントワネットは、保守的で軽薄でいい加減でした。つまり、王妃としては両親の悪いところを集めていたのです。

突飛なファッションで話題になったりしたのは、それまでの寵姫《ちょうき》たちの役割を引き継いだようなものだし、プティ・トリアノンで個人的な友人だけと流行だった田園風生活を送ったことは、時代精神の先端を行くものでしたが、王妃としては職務放棄でした。

それでも、大衆は浅はかなプリンセスを人間らしいと称えがちで、彼女も人気者です。ハプスブルク帝国末期の皇妃エリザベートとかダイアナ妃なども同様です。

フランスでは、統一国家への変身はアンリ4世やルイ14世らによって完成していましたが、その過程で妥協の産物として温存された貴族階級などの特権や官職売買があり、それが税収不足や社会的な不公正感の温床になっていたのです。

そこで、全国三部会をルイ13世の1614年、つまり、宰相リシュリューが一躍注目を浴びたときから久しぶりに招集しました。国王にとって三部会の開催は、第三身分（平民）を味方につけて貴族や聖職者を押さえ込むためのものだったはずなのですが、ルイ16世（在位1774～92年）にそこまで明確なビジョンはなかったのです。

しかし、第三身分の代議員に一部の貴族や聖職者が合流し、革命指導者アベ・シェイエスが「第三身分、それはすべてである」と叫び、三部会から国民議会への移行が宣言され、勢いに押されて、ルイ16世も、これが憲法制定議会となることを承認しました。貴族たちは、軍隊を動員して対抗させようとしたので、反発した民衆が、1789年7月14日に政治犯が収容されていたバスティーユ牢獄を攻撃し解放しました。

やがて、国王一家はベルサイユ宮殿からパリ市内のテュイルリー宮殿に移され、民主主義の原点になった「人権宣言」が出されました。しかし、事態の急展開に恐れを抱いた国王一家は国民を裏切り、国外への逃亡を企てました。王妃は『ベルサイユのばら』でもお馴染みの恋人でスウェーデン貴族のフェルゼン伯爵の忠告にもかかわらず大型馬車での移動にこだわり、国境に近いバレンヌ村で捕らえられました。

フランス革命は、それが人権尊重や国民主権という世界の民主主義の原点となったものですが、もともと、世界最先進国のひとつであったフランスは、ある程度の政治的自由化と税制改正にさえ成功すれば根本的な制度改革までは必要なかったのです。

フランス革命は多くの点においてルイ14世ら歴代の王が目指していた方向を実現しただけなのです。ところが、ルイ15世（在位1715～74年）も16世も政治に無関心で、フリードリヒ大王やエカテリーナ2世のように啓蒙思想を利用することができず、逆に攻撃対象になる愚を犯してしまいました。

また王妃は、頑迷な保守派と組んで改革を妨害して革命を不可避にし、実家である外国と通じていたのですから、その夫を死に追いやった主要な責任があります。

国王一家が国外逃亡に失敗した事件ののち、王妃の兄レオポルト2世（神聖ローマ皇帝・ハプスブルク家）は、プロイセン王フリードリヒ・ヴィルヘルム2世とともに「ピルニッツ宣言」を発表し、国王ルイ16世の地位が安泰でなければ戦争をしかけると脅しましたが、これは、国王への国民の信頼をおおいに傷つけました。

聡明なマリア・テレジアや啓蒙君主だった長兄のヨーゼフ2世（モーツァルトが活躍した時代の皇帝）なら適切なアドバイスを与えたでしょうが、二人とも死んでいました。

戦争はバルミーの戦いでの勝利を機にフランス軍が優勢に転じ、政治的にも急進的なジャコバン派が優勢となりました。そして、普通選挙による「国民公会」が成立し、王政廃止と共和国の成立が宣言されました。

ルイ16世は革命裁判にかけられ、賛成387対反対360で死刑が決まり、コンコルド広場でギロチン（断頭台）にかけられました（1793年）。そして、半年ほどのちには、王妃マリー・アントワネットも処刑されました。

革命はますます先鋭化し、ジャコバン派が穏健派のジロンド派を追放し、ロベスピエールが権力の頂点に立ちました。本格的な徴兵制の創設に成功し、革命以前から充実していた軍備と桁外れな兵力を背景に外国軍を圧倒し、ライン川まで押し出しました。しかし、行きすぎた粛清は疑心暗鬼を生み、革命によって財産を得た多くの国民もだんだん保守化していきました。

そして、危険な策謀家で、のちにはナポレオンまで手玉に取ることになるフーシェらが筋書きを書いて、クーデターを起こしましたが、これを「熱月《テルミドール》の反動」と呼びます。

もっとも、ロベスピエールは、単なる破壊者でなく大きな改革を実現したことへの貢献も絶大で、清潔でした。そういう意味では、織田信長を評価する人なら、彼のことはそれ以上に扱うべきだと思います。

そして、その後も、ジャコバン主義への支持も根強く、混乱は続きましたが、やがて、ひとりの若い軍人の名が人々に語られるようになりました。コルシカ島生まれで、26歳のナポレオン・ボナパルトです。

この青年の才能を開花させたのは、カリブ海の島生まれの未亡人で社交界の人気者だったジョゼフィーヌという女性でした。ナポレオンと結婚後も、忠実な妻ではなかったし、浪費も激しかったのですが、ナポレオンの天才が開花するにあたっては、その魅力で素晴らしい刺激を与え、また良き助言者、協力者でもありました。

ナポレオンはイタリアやエジプトでフランス軍に勝利を与え、その栄光のもとで皇帝にまで上り詰めました（在位1804〜14、14〜15）。

このナポレオンが、フランス革命を完成させたのか、それとも終止符を打たせたのか、また、オリジナリティがあったのかなど論争は尽きませんし、英米人などはこれを否定的に見たがりがちであり、それに影響される日本人も多いのです。

たしかに彼は独裁的な色彩が強い政体を打ち立て、ローマ教皇によって帝冠を授かり、皇帝にまでなりました。あるいは、彼の業績といわれているものには、革命以前に萌芽があったり、革命期にロベスピエールなどの下で始まっていたものが多いのです。

それにもかかわらず、フランス国民は、ナポレオンこそが、今日に至るまでフランス革命を世界史的な事件にした最大の功労者であることを疑いません。革命は、彼によって具体化され、制度として定着し、ヨーロッパ全体に広まったのです。そういう意味では、彼は織田信長よりは豊臣秀吉に似ています。太閤秀吉の仕事のほとんども、信長やあちこちの戦国大名の始めたことを受け継いだものですが、それを集大成し、世の中を律する総合的な制度として確立し、全国に適用したことがすごかったのです。

ナポレオンの足跡で、とくに評価すべきことは、法典を制定し、官僚制度や賞勲制度を創り上げ、地方制度を定着させ、学校制度を整備し、「メートル法」など度量衡を統一し、ナポレオン金貨の鋳造など金融制度を確立したことです。

そのなかでも、民法典《コード・シビル》（「ナポレオン法典」といえば、これを指すことが多い）は、日本の民法の基礎ともなりましたし、戦前の都道府県と市町村の制度は、ほとんどナポレオン時代のフランスと同じです。

日本の諸制度はドイツの影響を受けたものも多いと思われていますが、日本が導入したプロイセン王国や統一ドイツ帝国の制度の多くは、ナポレオン帝政のフランスを模倣して形成されたものですから、どちらにしてもルーツはナポレオンにあります。

学校制度では、とくに、リセ（日本の旧制中学校）を整備し、社会的指導者を広い階層から輩出することを可能にしたことが功績です。また、師範学校《エコール・ノルマル》や士官学校《エコール・ミリテール》など職業学校の整備は「農民の子でも学校の先生や士官になれる。彼らの子は何にでもなれる」というフランス流の機会均等の仕組みをつくり上げました。徴兵制を基礎とした軍隊の確立も、貴族階級の特権の根拠を覆しました。

また、信教の自由を認めつつ、カトリックを国民大多数の宗教として位置づけたことで、ローマ教会と和解し「政教和約《コンコルダート》」を実現させたことは、王政復古を遠のかせるとともに、共和政治とキリスト教の両立への道筋をつけ、皇帝即位は神聖ローマ帝国以来の中世的ヨーロッパに終止符を打ち、フランス革命の成果をヨーロッパ全体に普遍化させました。

ナポレオンは連戦連勝でヨーロッパを支配下に置くかに見えましたが、スペインではゴヤの絵画に見られるように、封建的抑圧に苦しんでいたはずの民衆に反抗され、イギリスを孤立させるための貿易禁止に従わないロシアを討とうとした戦争は、冬将軍と焦土作戦と民族意識に敗れました（1812年）。

ナポレオン戦争は、少なくとも最後に負けたから失敗なのですが、あくまでも軍事的なやり方がまずかったのであって、もし、ナポレオンが成功していたら、ドイツはより自由主義的な国になっていたでしょうし、ロシアはタタール的な帝国でなく西欧的な文明国として発展し、スペインも20世紀後半を待たずして西欧の一員になったはずでしょう。また、ポーランドは独立を維持でき、イタリアはもっと早く統一されたでしょう。

そして、政治制度的には、選挙によって国民の承認を得た軍人政治家による強権政治という形式は、20世紀においてすら、封建制度から民主主義への過渡期的なあり方として一定の役割を果たし、21世紀においても一時的な危機回避策としてしばしば使われます。

直接選挙で選ばれる元首という方式は、21世紀においてもむしろ拡大していますし、ヨーロッパ統合は、多分にナポレオンの夢の具現化としての色彩を持っています。しかし、それはトランプのような大統領を生み、イギリスのEU離脱のようなことも起きました。ナポレオンの業績に対して賛否両論があるのは、ナポレオンの仕事が賛否も含めて、いまなお現代的な課題でありつづけているからなのだと私は理解しています。

65―キッシンジャーが尊敬するイケメン外交家メッテルニヒ

フランスが戦争に負けて、ナポレオンが地中海のエルバ島に流されたとき、亡命者たちは「何も学ばず、何も忘れず」に帰ってきました。ルイ16世の弟がルイ18世となり、外相のタレーランは、ウィーン会議（1814〜15年）で、オーストリアの外相クレメンス・メッテルニヒ（1773〜1859年）と協力して正統性の原則を主張し、革命以前の国境をフランスのために確保することに成功しました。

その会議のあいだに、ナポレオンが帰ってきて皇帝に復帰しましたが、ワーテルローの戦いで敗れ、メッテルニヒとタレーランが勝利者となりました。

このメッテルニヒは、保守反動のチャンピオンのようにいわれていましたが、キッシンジャーが高く評価してから再評価されています。

キッシンジャーは、メッテルニヒが、ウィーン会議で、フランスに対する懲罰よりも力の均衡の回復を重視したことで、ヨーロッパの平和が少なくとも普仏戦争までの半世紀、見方によっては第一次世界大戦までの1世紀にわたって維持されたことを絶賛したのです。北京を訪れたときには、周恩来ともメッテルニヒ論を戦わせたといいます。

金髪の巻き毛が印象的なイケメンで、著名な女性との浮き名も数知れません。そのなかには、ナポレオンの妹で、ナポリ王ミュラの王妃だったカロリーヌ・ボナパルトもいました。1809年に外相となり、1810年には、一時凌ぎのため、ナポレオンと皇女マリー・ルイーズの結婚を実現にこぎ着けました。1814年に始まったウィーン会議においては中心的役割を果たし、1821年からオーストリア宰相に就任します。

ただ、中南米の独立運動に対して、イギリスやアメリカ合衆国が独立を支持し、ギリシャの独立でもこれを支持するイギリスやフランスに反対していました。そして、1848年にはフランス2月革命に刺激され、オーストリアでは3月革命が勃発し、メッテルニヒは宰相を辞任しましたが、そののちも、国際的な政治家として長老外交家として尊敬されました。

66 — 7月革命・2月革命・パリ・コミューンの世界史での意味

フランス史における7月革命（1830年）、2月革命（1848年）と第2帝政、普仏《ふふつ》戦争（1870~71年）とパリ・コミューン（1870年）という出来事は、それぞれ、世界の政治史上に大きな意味を持ちました。

王政復古後のフランスでのルイ18世は比較的、穏健な啓蒙君主でした。しかし、その弟のシャルル10世は保守反動の頭目でした。とくに、言論の弾圧と、それ以上に、革命で没収された資産への補償を決めたことは、人心を完全に離れさせてしまいました。このころ、新聞が普及したのですが、その影響も無視できなかったのです。

アメリカ独立戦争とフランス革命の英雄でブルジョワを代表するラファイエットらが「王は君臨すれどども統治せず」の原則を要求し、体制を揺さぶり、保守派は二度にわたって選挙で敗北しましたが、王はそれを無視しました。

パリの街頭には抗議のバリケードが築かれ、ノートルダム寺院に「三色旗《トリコロール》」が翻り、ラファイエットは、パリ市役所のバルコニーで、あのルイ15世の曾孫で自由主義的なオルレアン公ルイ・フィリップ（1830〜48年）に「三色旗」を掲げさせて抱擁しました。

パリの市民は、新しい王制など創るつもりではなかったのですが、この感動的な演出に幻惑されて歓呼し、7月王制が成立しました（1830年）。7月革命で、ドラクロワの絵画『三色旗を掲げる自由の女神』は、大革命でなくこのときの争乱がテーマです。

7月王制は穏健で物わかりがよかったのです。アルジェリアの植民地化を進めたくらいが目立つだけで、対英協調を重視し無理をしませんでした。7月革命がベルギーに波及し、オランダからの独立を宣言し、ルイ・フィリップ王の次男を王として迎えようとしたのに、英国に配慮してドイツの小貴族ザクセン・コーブルク・ゴータ家のレオポルド1世（ビクトリア女王の従兄弟）を国王とし、娘のルイーズを王妃として嫁がせることで満足したのは、栄光を求めるフランス人をがっかりさせました。経済政策は、自由主義的で経済は発展したのですが、労働者は保護を求め、利権政治に反発は高まりました。

「貧民には民主主義のもとで正しい判断を下す準備ができていない」といって、制限選挙の維持を正当化する一方で、人民教化のために初等教育の充実をはかりましたが、この考え方は、約20年後に明治政府が採用するところになりました。

7月王制の終わりはあっけないものでした。パリでのある集会を禁止したところ、抗議運動が起こり、バリケードが築かれ、民衆の放った銃弾に過剰反応した軍が発砲して死者が出たのを機に暴動が市内に広まり、王一家は逃亡するしかありませんでした。

パリのオルセー美術館の展示は、19世紀の文明がテーマですが、時代は1848年から1914年までです。だいたい、黒船来航から明治の終わりまでに合致します。先進国では産業革命が進み、鉄道や蒸気船が大量高速輸送を実現し、教育が庶民にまで普及し、憲政が確立し、植民地化の進展で地球全体がどこかの文明国の支配に置かれました。

2月革命では、言論の自由、普通選挙、労働権の確立がテーマとなり、それが実現する出発点となりました。カール・マルクスもこのころ、パリを主たる活動の場のひとつにしており、「共産党宣言」は2月革命の直前に発表されたものです。

臨時政府には社会主義者も入り、生存権・労働権・結社権などの確認や「国立作業場」の設置などを行い、言論・出版の自由が保障されました。普通選挙で憲法制定国民議会が選ばれましたが、結果はパリの急進的な雰囲気とはかけ離れて保守派優勢でした。しかし、直接選挙での大統領選挙では予想に反して、ナポレオン1世の甥で左派的心情への共感を表明していた、ルイ・ナポレオン

（のちのナポレオン3世と呼ばれる）が当選しました。

7月王政下ではナポレオンの復権が進められ、凱旋門を完成させ、1840年にセントヘレナ島から皇帝の遺骸を金色のドームがある廃兵院《アンバリッド》に迎えました。

ルイ・ナポレオンは、クーデターを起こして普通選挙を廃止しようとした議会を解散し、やがて国民投票で第2帝政が開始されました。秩序の維持と革命的精神の堅持、そして、対外的栄光を満足させようとすれば、ほかに選択肢はなかったのです。

しかし、クーデターの乱暴さ、その後の言論弾圧や反対派の粛清の厳しさは、癒しがたい傷を残し、ブリュッセル、ついで、英仏海峡諸島での亡命生活を送った作家ユゴーのような執拗な抵抗者も現れました。

皇帝ナポレオン3世（在位1852～70年）は、宰相を置かずに、自ら判断し、経済政策や都市開発について優れた判断を示しました。とくに、セーヌ県知事オスマン男爵による大胆なパリ改造は、激しい抵抗にあいましたが、現在のパリの骨格を創ったものとして高く評価されています。

スペイン出身のウジェニー皇后を中心とした彼の宮廷は、高級娼婦など怪しげな人物も多く出入りしいかがわしくはありましたが、華やかで楽しいことは比類ないものでした。万国博覧会が開かれて、日本から幕府と薩摩・琉球が別々に参加してひと悶着起こしたのもこのころです。

英国と組んでオスマン帝国を助けてクリミア戦争でロシアに勝利を収め、1812年の屈辱を晴らし、イタリアでは、サルデーニャ王国のカブール首相が、王家の発祥の地であるサボワと、ニースをフランスに割譲するという大胆な提案をしたのと引き換えに統一を容認しました。

しかし、アメリカ南北戦争で南軍に好意を見せ、その混乱に乗じてメキシコにハプスブルク家のマキシミリアンを皇帝として送り込みましたが、惨めな失敗に終わりました。日本では幕府の小栗忠順などはフランスの援助をあてにしましたが、当時の状況ではとうてい無理で、ロッシュ公使の独断専行に踊らされただけでした。日本に下手に介入したらメキシコの二の舞だったでしょう。

この第2帝政が崩壊したのは、自由化への遅れとドイツ統一への対応の失敗の相乗作用でした。また、ほとんどの期間、宰相を置かずに親政を行ったので逃げ場がなかったことも原因です。そして命取りになったのが普仏戦争の敗北でした。

67—大久保利通らを魅了した鉄血宰相ビスマルク

ドイツでは、ナポレオン戦争中に神聖ローマ帝国が廃止された（1806年）のち、オーストリアを議長にしたドイツ連邦というゆるい枠組みが残りました。国民主義が高揚する中で、ドイツ統一への機運は加速しましたが、オーストリアは、ハンガリー王国とからなる二重帝国（正式名称は「帝国議会において代表される諸王国および諸邦ならびに神聖なるハンガリーのイシュトバーン王冠の諸邦」）というものでしたし、スラブ民族の自立運動もかかえていたので統一に加わることは無理でした。

そこで、フランス2月革命を受けて、1848年のフランクフルト国民議会は、ドイツ帝国憲法を採択し、プロイセン国王フリードリヒ＝ヴィルヘルム4世を皇帝に選出したのですが、王は「議会の恩恵により帝位に就くこと」を拒否して空振りに終わりました。

その弟のヴィルヘルム1世は、ユンカー出身の駐仏大使ビスマルクを宰相に抜擢しました。そのときに議会でビスマルクが行ったのが鉄血演説で、「現下の問題は演説や多数決ではなく、鉄と血によってこそ解決される」と豪語したものでした。「妥協してギロチンにかけられたルイ16世は名誉も失ったが、矜持を失わなかったチャールズ1世は首はなくなっても名誉は保たれた」と叱咤激励された王は、ビスマルクが議会で承認された予算もないまま中央突破するのを、4年間も認めました。

ビスマルクはナポレオン3世に領土の割譲を匂わせながらオーストリアに戦争を仕掛けて、オーストリアにドイツから手を引かせました。そして、戦争の間にルクセンブルクなど欲しい土地を占領する機敏さを持たなかったナポレオン3世は何も得られませんでした。

普仏戦争（1870～71年）の結果、ヴィルヘルム1世はドイツ皇帝に推され、遠征先で推戴されることが尊いというゲルマン民族の伝統によってベルサイユ宮殿で戴冠式を行いました。

統一ドイツになってからは、カトリック勢力（中央党）、社会主義勢力（ドイツ社会民主党）などと相手を巧妙に入れ替えつつ、反対勢力と合従連衡を繰り返し、社会主義者鎮圧法を制定する一方、ヨーロッパでもっとも先進的な社会政策を推進しました。これは、日本では桂太郎などによって真似されることになります。

外交面では、フランスによる復讐を恐れて、その孤立を図るために、ロシアやオーストリアと同盟する一方、ドイツの利益や拡張を強引に図ることを避け、バルカン半島をめぐってオーストリア・ロシア・オスマン帝国が対立したときには、1878年にベルリン会議を主催して「公正なる仲介人」として和平案をまとめました。

幕末維新の政治家にとって最大の英雄は、ナポレオンでしたが、普仏戦争の結果、ビスマルクが取って代わりました。

岩倉使節団が1873年にベルリンを訪れたとき、鉄血宰相は、「大国は自分に利益がある場合は国際法に従うが、ひとたび不利とみれば、たちまち軍事力にものをいわせる。国際社会にあって小国が主権を守るためには、軍事力に頼ることも必要である。それぞれの国が、対等の力をもつことではじめてお互いが侵略せずに主権を守りあう公明正大な国際社会が実現する」と、富国強兵の必要性を説いて、岩倉具視、大久保利通、木戸孝允らに感銘を与えました。

明治時代にあって、自由民権派は本だけで西洋を知るだけでしたが、藩閥政府のリーダーたちは、欧米で実際に調査し、現地のリーダーたちと意見交換した真の国際派でレベルが違ったのです。

ビスマルクは、1888年に王となったウィルヘルム2世と対立し2年後に引退しましたが、国民的人気は死ぬまで衰えず、今日のドイツでも最大級の尊敬を集めています。

68―わがままで立憲君主らしくなかったビクトリア女王

イギリスのハノーバー朝にあっては、ジョージ1世やジョージ2世は英語が十分にできず、ドイツでの生活を好んだので、かえって、立憲君主制が深化しました。しかし、ジョージ3世はイギリス生まれでしたから、もう少し自分の意見を言うようになりました。

しかし、1783年に首相となったウィリアム・ピット（小ピット）と協力して、アメリカの独立を許すという失敗はしましたが、フランス革命期を無難に乗り切りました。

また、この時代は、産業革命の時期であり、ジェームズ・ワットによる蒸気機関の改良、アークライトなどの紡績機械の発明、スチーブンソン親子による蒸気機関車の発明などにより産業や交通が大きく変化した時代でもありました。

ビクトリア女王は、1837年から1901年まで王位にありました。つまり、アヘン戦争のころから日清戦争までということです。

父は60年も国王だったジョージ3世の四男で、早く死んでおり、即位はまったく予想外のことでした。18歳のときに即位し、結婚は1840年で、母の兄の子であるドイツの小国の一家に生まれたアルバートでした。

彼女の円満な結婚と子だくさんは、イギリス人中産階級にとって模範とされ、中産階級的な性的な快楽への拒絶感が社会に広まりました。また、自分が女王であるにもかかわらず女性の社会進出には否定的でした。

性格は、わがままで、短気で、とくに、意見をされるのを極端に嫌いました。治世の中ごろには、ディズレーリ（首相在任1868、74〜80年）とグラッドストン（首相在位1868〜74、1880〜85、86、92〜94年）という二人の卓越した政治家がいました。ディズレーリは「決して拒まず、決して反対もせず、受け入れ難い要求なら物忘れをすることだ」といい、ゴマすりでうまく付き合いましたが、真面目人間で気の利かないグラッドストンは女王の意見を無視したので、女王は選挙で自由党が勝ってもなんとか彼が首相になるのを避けるべく工作しました。憲政の常道はまだ安定していませんでした。

後期はソールズベリーの時代ですが、彼は女王に、最終的な調停者としての地位を失わないためにも軽はずみに意見を通そうと思わないほうがよいと説得しました。

ビクトリア女王時代の外交は、まさに、帝国主義時代のものです。ヨーロッパ諸国とは、英仏関係が至極円満だった時代であって、王位を失ったルイ・フィリップ王やナポレオン3世も亡命先にロンドンを選んでいますし、ビスマルクのドイツは、長女ビクトリアの嫁ぎ先でもあり円滑でした。また、日本とはソールズベリー首相のとき日英同盟（1902年）を結びました。

中国やインドには高圧的でした。治世の初期には中国にアヘン戦争を仕掛けました。ドイツなどが皇帝を名乗るのをうらやましがったので、ディズレーリのイニシアティブでインド皇帝に就いて

「VR&I」（Rは王を意味するレックス、Iは皇帝であるインペラートルというラテン語）と署名することを好みました。

治世の末期にはアフリカの強引な植民地化を進めたセシル・ローズらの要望を受け、南アフリカでオランダ人相手にボーア戦争（1899～1902年）を仕掛けて国際的に非難されました。

「君臨すれども統治せず」といわれる英国女王ですが、現在も「知らされ、意見を求められ、自分の意見を自由に述べる」権利をもっています。まして、ビクトリア時代はそうで、明治体制を論議するときに、あたかも、イギリスで立憲君主制が徹底されていたというような前提で論じるのはいかがかと思います。

69―ブラジル皇帝やスペイン副王がいた中南米の歴史

中南米という言葉は、日本にしかないというと驚かれる方が多いでしょうが、海外ではラテン・アメリカというのが普通です。

旧ポルトガル領はブラジル1国にまとまり、旧スペイン領は、ばらばらになりました。ポルトガルのブラガンサ王朝は、迫り来るナポレオン軍に屈するよりはと、1808年に植民地だったブラジルに逃れました。

リオ・デ・ジャネイロに宮廷を置き、ブラジルの人口は増え文化水準は向上し、植民地でなく本国と対等の立場となったのです。ナポレオン戦争が終わった後、ポルトガル・ブラジル王ジョアン6世はリスボンに帰還しましたが、皇太子ドン・ペドロをブラジル摂政として残します。ブラジル在住のポルトガル人に擁立されたドン・ペドロは、1822年に独立を宣言し、ブラジル皇帝を名乗りました。

このときに、「皇帝」を名乗ったことは、スペイン植民地のような分裂を避けるためで、ステイタスの高い権威を樹立しようとしたのです。しかし、1826年にポルトガルでジョアン6世が死んで、ドン・ペドロと弟のドン・ミゲルで争いが起きました。

ドン・ペドロは7歳の長女マリア・ダ・グロリアに譲位し、ブラジルではペドロ2世が、皇帝になりました。奴隷制を廃止するなど自由主義的な君主でした。健康を害して1889年軍部のクーデターで廃位されましたが、現代のブラジルでは肯定的に評価されています。

スペイン領には、ペルー、ヌエバ・エスパーニャ（メキシコ）、ヌエバ・グラナダ（コロンビア）、ラプラタの四つの副王領に分けられました。副王とはアラゴン王国がイタリアを治めるのに使ったシステムです。

スペインはペニンスラールと呼ばれた本国からの派遣者を優遇して、新大陸生まれのクリオーリョと呼ばれる自国民を差別しました。しかし、彼らは現地の支配勢力として力を蓄え、インディオとの混血児であるメスティーソ、黒人との混血であるムラートもそれぞれに自己主張を始めました。

中南米の独立運動の予兆ともいえるのは、メスティーソでインカ残党最後の皇帝の末裔と称するトゥパク・アマルによる反乱（1780～82年）などがありましたが、本格的には、1808年にスペインでナポレオン軍の侵入でブルボン王朝がいったん倒されたのがきっかけでした。

フランス軍にスペイン本国が占領されたとき、新世界の植民地はすぐに独立に向かったのではありません。自治が拡大するのは自然の成り行きでした。本国と繋がりの強い人々と、クリオーリョなど現地勢力の間で対立が起こり、そこに、サンマルティンとボリバルという二人の天才が現れました。

アルゼンチンは、天然資源にも乏しいことから、スペイン人にとってあまり興味を引かず、開発が進まず、本国やほかのヨーロッパ諸国との直接の行き来を禁じられたため、パナマ、ペルー経由でしか行き来ができず不便でした。しかし、パンパという草原が牧畜に向いていることが明らかになり、牛皮の輸出などが盛んになると、英国などとの通商を求める声が強まりました。

これが1776年のラプラタ副王領（パラグアイ、ウルグアイ、それにボリビアの一部）の設置に繋がり、本国との繋がりが希薄だったので、1810年には自治が認められました。そして、パラグアイが1811年に単独で独立を宣言し、アルゼンチンも1816年には独立宣言をしました。

サンマルティンはアルゼンチンで生まれスペインで教育を受けた貴族出身の軍人でしたが、南米全体がスペインから独立するべきだと考え、アンデス越えの奇襲を成功させて1818年にサンチアゴで独立を宣言しました。続いてペルーのリマを陥し1821年に独立宣言しました。

一方、ヌエバ・グラナダでは、ベネズエラのクリオーリョ有力者出身でヨーロッパで教育を受けたシモン・ボリバルが1819年にヌエバ・グラナダ（大コロンビア）として独立し、1822年にはエクアドルも吸収しました。

サンマルティンとボリバルはエクアドルのグアヤキルで会見し、ボリバルは1825年にはアルタ・ペルー（高ペルー）を独立させ、新国家はボリビアと名付けられました。

ナポレオン戦争による独立機運はメキシコ（現地語ではメヒコ）にも及び、メキシコ生まれの土着白人《クリオーリョ》でドロレスの司祭であったイダルゴは、1810年9月16日の早朝、教会の鐘を鳴らし民衆を集め、「我らがグアダルペの聖母万歳！　悪辣な政府と植民者たちに死を！　メキシコ人よ、メキシコ万歳！」と、「ドロレスの叫び」という演説を行い、この日がメキシコの独立記念日となっています。

この反乱は鎮圧されましたが、1820年に、スペインでリエゴ大佐による立憲革命が勃発し、翌年に独立を認めさせました。このころのメキシコの領土はテキサスやカリフォルニアまで及ぶものでしたが、テキサス独立とその後の米国への併合を巡り1846年に米墨戦争となり、有償とはいえカリフォルニアなどの割譲を強いられました。

70―ワシントンからリンカーンまでのアメリカ合衆国

初代大統領ワシントン（在任1789～97年）は、現実的な連邦集権論者の財務長官ハミルトンと、理想家肌で分権論者の国務長官ジェファーソンを上手に使い分けて、国家の基礎を創り上げました。

ハミルトンはイギリス流の強い権限を持った中央政府を志向し、政府債務を活用しながら財政的に強い中央政府をつくるという計画を持っていました。この計画に沿ってワシントンは、効果的な徴税制度や国立銀行を創設しました。外交でも独立戦争の経緯を捨てて、フランスよりイギリスに接近しました。

ジェファーソンは名文家で理想家肌であり、彼の文筆力こそが「すべての人は生まれながらにして平等であって、神より侵されざる権利を与えられている。その権利には、生命、自由、そして幸福の追求が含まれている」と高らかに歌い上げたアメリカ独立宣言を書かせたのです。

ジェファーソン（在任1801～09年）は、大統領になると、「大地を耕すものこそ神の選民である」と言い、西部開拓のために公共事業を起こし、国有地の払い下げを進めました。ミシシッピ川までは独立戦争の結果、アメリカ領になっていましたが、さらに、ナポレオンのフランスから、ミシシッピ川からロッキー山脈まで拡がるルイジアナ（現在のルイジアナ州ではなく、合衆国本土の約3分の1の広大な土地）を購入しました。

ナポレオンは、この地を護りきることはいずれ不可能になると考え、アメリカに1500万ドルという安値で売ってくれました。

このころ、フルトンがハドソン川で蒸気船の定期航路を始めたのですが、この技術はミシシッピ川とその支流で大活躍し、19世紀中盤以降に鉄道の時代が来るまで、中西部開拓の主力になりました。

第2代大統領が任命した連邦最高裁長官ジョン・マーシャルは、34年間もその職に留まり、違憲立法審査権の確立、財産権の安定など、連邦制とアメリカ経済を支える法的基礎を創りました。

また、第5代大統領のモンローは、1823年12月2日、議会における教書演説で、アメリカはヨーロッパに干渉せず、南北アメリカは将来ヨーロッパ諸国に植民地化されず、主権国家としてヨーロッパの干渉があるべからざることを宣言した、いわゆる「モンロー主義」を打ち出しました。

第8代大統領のジャクソン（在任1829~37年）の時代には、大統領候補も連邦議員総会でなく党員集会で選ばれるようになり、白人男性の普通選挙は西部から広まり、この時期に一般化しました。公職を政治任命する猟官制度《スポイルズ・システム》を広めたのも彼です。

大衆的カリスマ性が大統領にとって不可欠といわれるようになったのも、彼の出現からのことであって、善し悪しは別にしてアメリカ政治の元祖といえる存在です。ただ、ジャクソンは軍人としても大統領としてもインディアンから悲惨な収奪をした人物です。インディアン強制移住法によって、インディアンはミシシッピ川の西側に追いやられました。たとえば、チェロキー族はジョージアからオクラホマの不毛の地へ「涙の旅路」を強いられ、多くが途中で死にました。

カリフォルニアやオレゴンを併合したのは、第10代のポークです。スペイン人は、メキシコからの移住者は6000人ほどしかおらず、何とももったいない使い方をしていたのです。これはテキサスなどでも同様でした。

その前にテキサス併合でも活躍したポークは、テキサスとの国境線を巡って緊張を高め、メキシコの攻撃を受けて立つ形に巧妙に持っていって米墨戦争を始め、グアダルーペ・イダルゴ条約により、メキシコからカリフォルニアまですべてを「購入」という形で獲得しました。しかも、併合とほぼ同時の1848年に砂金が発見され、翌年には空前のゴールドラッシュが現出したのです。

当選したポークは、目標を関税の引き下げ、財政の再建、財務省の制度改革に成功しました。米英共同管理になっていた太平洋岸のオレゴン地方については、イギリスと長い折衝の結果、北緯49度線が境界と定まり、バンクーバーがカナダに与えられ、カナダは太平洋世界の一員となりました。

このころから、奴隷制度の正否がアメリカ政治を二分するような問題になりました。南部諸州で奴隷制度が存続することについては、あのリンカーンですら反対でなかったのです。綿花栽培に奴隷は便利だったし、奴隷が貴重な財産であった以上、これを解放するとなれば莫大な補償が必要でした。

ところが、問題はこれが連邦の基本構成にかかわるということだったのです。上院では州ごとに2議席充てることになっていたので、新しい州が奴隷州であるかどうかが深刻な問題になったのです。西部の州が加盟することで、五分五分だった奴隷州と自由州のバランスが崩れ、緊張が高まっていたのです。

さらに、非奴隷州が逃亡奴隷を助けることや奴隷制反対の言論の自由を認めるかどうかも課題でした。それが許されることが、奴隷の逃亡や反乱を助長したからです。

リンカーンは、奴隷制について、既得権としては認めるが、それを南部に限定すること、いずれは有償で解放し中南米のどこかに黒人国をつくって移すことを考えていたようです。混血を嫌い、奴隷制は混血児を増やすからダメだと嫌悪していました。たしかに、アメリカの黒人というのは、奴隷主と愛人にされた女奴隷の間に生まれた子供の子孫がほとんどです。オバマ大統領のように、父親が奴隷制が廃止されたあとケニアからアメリカに留学し、母親が白人というのはアメリカの黒人としてはまれなことです。

また、黒人を北軍の兵士として使いたがりませんでした。ミズーリやケンタッキーなど、奴隷を認められる州でありながら合衆国に留まった境界州《ボーダー・ステイツ》への配慮でした。「奴隷解放宣言」（1863年1月1日）は、南部が予想外に善戦するなかで黒人を離反させたいとか、逃げて北軍の保護のもとに入ってきた黒人の扱いに困ったこともあって、南部に対する最後の一撃にするべくなされたものです。

1864年に、リンカーンは再選されました。その年の9月に『風と共に去りぬ』でおなじみのシャーマン将軍がアトランタを攻略。翌年には南軍総司令官ロバート・リーが北軍のユリシーズ・グラントに降伏して戦争は終わりました。

リンカーンを理想主義的な人道主義者だとか、理想家肌の政治家と見ることは正しくありません。彼が、演説の名手であることも間違いないことです。しかし、それよりも、敵やライバルの弱点をつく政治力にも優れ、アメリカ史上最強の独裁者として君臨したのです。

71―アヘン戦争の敗戦を重大事と考えなかった当時の清朝

西洋諸国が段違いの軍事技術力を開発し、蒸気船を使って「面」としての植民地をもてるようになったのは、19世紀になってからで、完成したのは19世紀も終わり頃です。

中国に西洋文明を持ち込んだのは日本と同じようにイエズス会の宣教師たちですが、日本が鎖国した後です。

彼らは帰国しない条件で姓名を中国風に改め、中国語を使い、孔子への崇拝や先祖の祭祀まで認めましたが、フランチェスコ会やドミニコ会は反対し、「典礼論争」が戦わされ教皇クレメンス11世はこの抗議を受け入れました（1704年）。

康熙帝は怒ってイエズス会以外の宣教師の入国や伝道を禁止しました（1706年）。雍正帝のときには、キリスト教の布教がすべて禁止になりました（1724年）。

オランダは台湾にゼーランディア城を築きました。台湾でまっとうな領域支配をはじめて行ったのは、中国でも日本でもなくオランダです（1624～62年）。

イギリスは東インド会社を1600年に設立しました。念頭はジャワ島でしたが、オランダの天下で牙城を崩せず、1623年には日本からも撤退し、モルッカ諸島で起きたアンボイナ事件で打撃を受け、以降は、インドに移りました。

インドではムガール帝国が17世紀に入ると衰退へと向かっていたので、イギリスは、そこにつけ込んだのです。そして、18世紀にはフランスと覇権を争いましたが、7年戦争（1756～63年）やムガール帝国滅亡（1858年）などを経て、優位を確立しました。

乾隆帝の末期にあって、質実剛健だった満州人たちは、贅沢に慣れ腐敗していきました。乾隆帝の治世のうち最後の20年は、皇帝の判断力にもかげりが見られ、もともと皇帝の輿かきだった和珅《わしん》という奸臣を、若いころに恋した父の妃の一人に似ているという理由で取り立て、実質的な宰相である軍機大臣にしたのですが、のちに調べたところ、没収された財産は国家歳入の十数年分に達していました。近年も中国政府幹部の巨額蓄財が話題になっていますが、これを見ると中国の伝統と分かります。

また、乾隆帝が併合した領土は、中国史上でも最大級のものでしたが、インドを支配するようになったイギリスがやってきました。一方モンゴル帝国の残党ともいえるロシアがキプチャク汗国を継承したクリミヤ汗国や中央アジアにおけるチャガタイ汗国の継承国家群を征服して、満州族以外の北方・西方の民族に秋波を送り始めました。

彼らは、乾隆帝時代の末期から蠢動《しゅんどう》を始め、ナポレオン戦争でしばらく圧力を弱めましたが、ヨーロッパがウィーン体制のもとで平和になると、帝国主義の時代が始まりました。

イギリスは中国との貿易を拡大することを狙い、ジョージ3世が、乾隆帝が80歳となったことを祝う使節という名目でマカトニーを派遣しましたが（1793年）、「三跪九叩頭の礼」をするかどうかが問題となりました。つまり、中国側の受け取りでは、イギリスも日本の遣唐使などと同じレベルの朝貢使節として扱ったのです。ただし、当時の朝鮮などいわゆる冊封関係にある国とは別の扱いです。

このときは、乾隆帝も鷹揚だったので、英国王に対する儀礼と同じことをすることで玉虫色の解決がされましたが、奈良時代の日本との関係と同じように、中国側もそれなりに現実的だったのです。

しかし、この謁見で乾隆帝は、遠路から来たのだから会ったが、清は貿易など必要とせず、恩恵的に許しているだけで、交渉などする気はないと言い放ちました。

イギリスは、中国から茶、絹織物、陶磁器などを輸入していましたが、輸出できる物がありませんでした。中国には大量の銀が流れ込み、貨幣経済が円滑に機能しましたが、イギリスは困り、インドで生産されていたアヘンを中国に売ろうとしました。康熙帝や雍正帝なら早い段階で手を打ったのでしょうが、乾隆帝は1790年に最初の禁令を出しますが、のんきに構えているうちにアヘン吸引の習慣は広まり、1820年代には、銀が流出超過になりました。

北京では「国産化を進めよう」「公認して関税収入にしたら」と議論が混乱しましたが、禁止に決し、林則徐が特命大臣として広州へ赴き、アヘンの没収、誓約書を書かない船の入港禁止を断行しました。イギリス政府では、後ろめたかったので議会でも反対論が強かったのですが、アヘン戦争に踏み切りました（1840年）。

そして、南京条約で賠償金の支払い、香港の割譲、上海の開港を決め、虎門寨《こもんさい》追加条約で治外法権、関税自主権放棄、最恵国待遇条項承認を受け入れましたが、中国はこれを半植民地化のきっかけとは受け止めませんでした。

中国では戦争で負けて夷狄《いてき》に恩恵を与えることは、歴史の上でも珍しいことでないので冷静に受け止めたのです。

ところが、銀の流出が進んで、銀の銅に対する交換比率は3倍にもなり、銅で米の代金を受け取って銀で税を支払う農民が大打撃を受けました。

乾隆帝のころまで中国は栄えていたのですが、海外への渡航を禁止したり制限したりしていたので、海軍力や海上輸送力は弱く、産業革命で生まれた新技術を鎖国日本ほどひどくはないものの導入できませんでした。

そして、都市を焼かれてもゲリラ戦で対抗するとか、少数の外国人部隊に大量の人員の物量作戦で対抗するなどの体制がありませんでした。現代の日本にとっても身につまされる話です。

そんななかで、キリスト教系の新興宗教による「太平天国の乱」が起き、「天朝田畝《てんちょうでんぽ》」という均田構想や女性の解放、「滅満興漢《めつまんこうかん》」なども掲げて、南京を占領して天京と改名して首都にしました。

このとき、アロー号戦争が起こり、1860年の天津条約で、公使の北京駐在、キリスト教布教、河川航行、アヘンの輸入などを清国政府は認めさせられ、さらに、北京に侵入した英仏連合軍は、乾隆帝がベルサイユ宮殿を模して建てた円明園を略奪し焼き払いました。

ロシアの仲介で結ばれた北京条約では、天津の開港、イギリスへの九竜半島の割譲、中国人の海外への渡航許可が決まり、ロシアはこの調停の代償として、沿海州を譲渡されウラジオストックを建設しました。

日本も、幕府にまかせておけばもっとひどいことになったでしょうが、尊王攘夷の運動が巻き起こり、強力な中央主権国家を天皇のもとに建設する明治維新が起こり、文明開化を通じて挽回策を講じたので、傷口が深くならないですみました。

72 ― イスラエルとパレスティナ問題の起源はここにある

ユダヤ人の歴史については、「旧約聖書によってかなりわかる文明の始まり」で説明しましたので、ここではイエス・キリストの時代以降について整理しておきます。

イエスの死後、66年にネロ、132年にハドリアヌス帝に反乱を起こした結果、エルサレムの神殿は破壊され、ユダヤ人は追放されてディアスポラ（分散）の時代となりました。ただし、ユダヤ人もかなり残ったようで、彼らはミズハラと呼ばれ、イスラム教に改宗した者も多いのです。

その後、エルサレムはローマ統治下でもイスラム支配になっても聖地として尊重されたのですが、セルジューク・トルコがキリスト教徒の巡礼を妨害したというので十字軍が始まり、フランス人貴族を王とするエルサレム王国が建設されたこともあります。オスマン帝国の支配下で中東は平穏でしたが、第一次世界大戦後、北西部のシリアがフランスの、東部のメソポタミアと南西部のパレスチナがイギリスの委任統治下に置かれました。

「シオニズム（シオンの地へ帰ろうという運動）」が始まったのは、フランスでユダヤ系軍人への冤罪事件であるドレフュス事件を取材していたオーストリア人記者ヘルツルが、ユダヤ国家の建設を唱えてからで、パレスティナに移住するユダヤ人も増えました。この運動のなかで、ユダヤ人に新天地を与えて新国家を建設させてはという考え方もあり、ウガンダなども候補にされましたが、やはりカナン（約束）の地にというのが大勢でした。

しかも、イギリスは、第一次世界大戦中に、メッカのシャリフでムハンマド一族であるハーシム家のフセインにアラブ国家建設を約束して蜂起させる一方（フセイン・マクマホン協定）、ユダヤ人にも「バルフォア宣言」で国家建設を支持し、第二次世界大戦後には、ユダヤ人のテロに恐れをなして撤退し、１９４８年にイスラエルが建国されました。

アラブ諸国はこれを認めず第一次中東戦争となりイスラエルが勝利しましたが、東エルサレム（旧市内）はヨルダンに併合されました。第二次中東戦争はエジプトのナセル大統領によるスエズ運河国有化に反対して英仏イスラエルが起こした戦争で、エジプトの勝利に終わりました。67年の第三次中東戦争では、イスラエルが大勝利し、東エルサレムとヨルダン川西岸を占領し現在に至っています。

ただ、パレスティナ解放機構（ＰＬＯ）が結成されて抵抗をつづけ、１９９３年にオスロ合意を結び、パレスティナ暫定自治政府が成立して、ガザ地区と聖地ベツレヘムを含むヨルダン川西岸に支配地域を持って国家として機能しています。

しかし、イスラエルの保守派政権はヨルダン川西岸に新しい入植地を建設したり、東エルサレムへの支配を強め、イスラムの聖地になっている神殿の丘の岩のドームやアル＝アクサー・モスクを支配下に置こうとして挑発し、パレスティナ側ではガザ地区を支配する過激派ハマスがイランに支持されてイスラエルと武力闘争を繰り広げています。

清朝以降の中国をめぐる領土問題

北京条約でロシアへ
(1860)
トゥバ共和国
(ロシア・1911以降)
北京条約(1860)等
ロシアへ
ネルチンスク条約
(1689)の国境
愛琿条約で
ロシアへ
(1858)
中ソ国境
満州国
(1932～
1945)
モンゴル(1900以降)
イリ条約で
ロシアへ
(1881)
関東洲
東トルキスタン
問題
広義のチベット
蒙古連合自治政府
(1939～1945)
インド・
パキスタン
との紛争
チベット自治区
金門馬租
尖閣諸島
台湾
中印国境
香港・マカオ
南海諸島
中国の歴史教科書などで
清国領として扱われている範囲

中国の歴代首都と重要都市

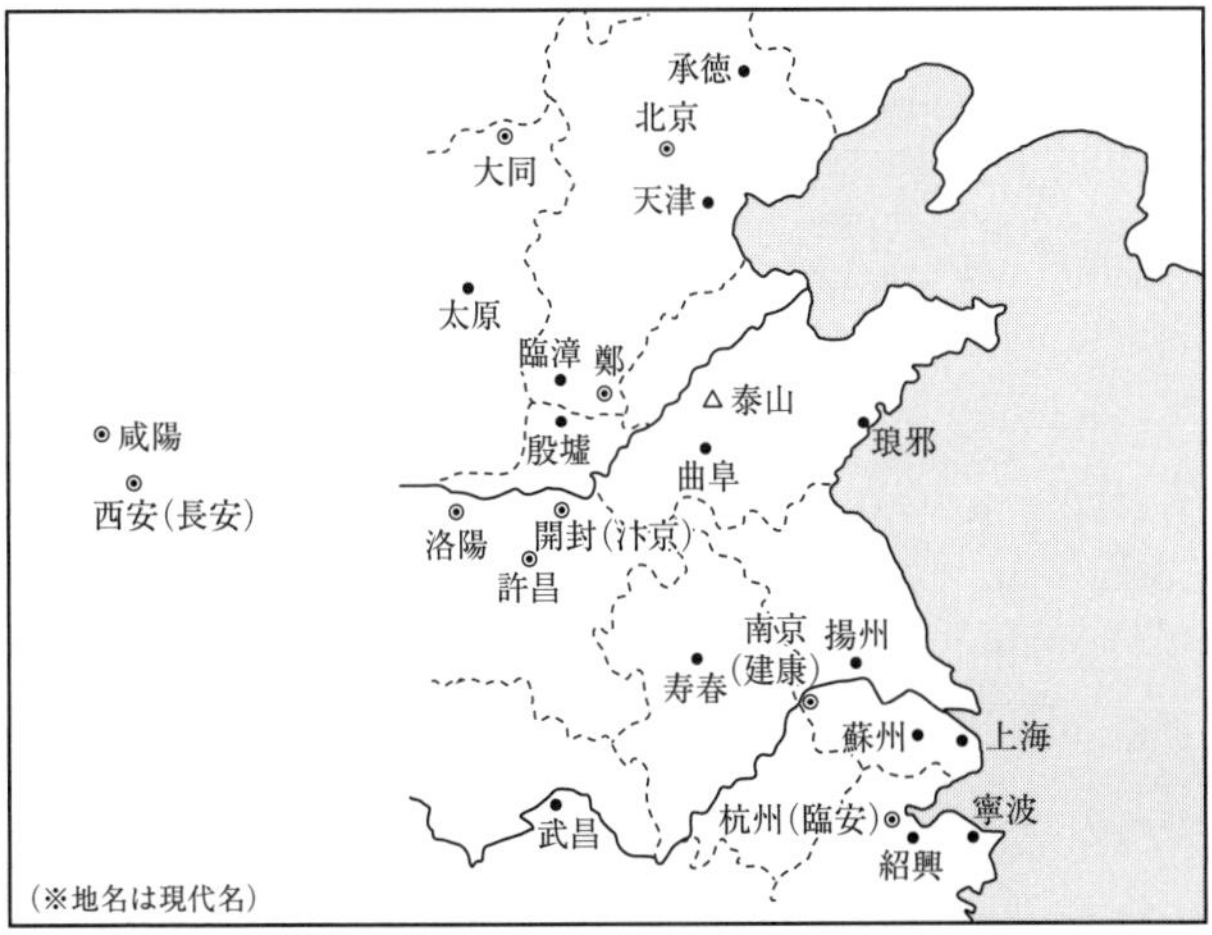
承徳
北京
大同
天津
太原
臨漳
鄴
泰山
咸陽
殷墟
琅邪
曲阜
西安(長安)
洛陽
開封(汴京)
許昌
南京
(建康)
揚州
寿春
蘇州
上海
寧波
武昌
杭州(臨安)
紹興
(※地名は現代名)

第九章

世界大戦・社会主義・ファシズム

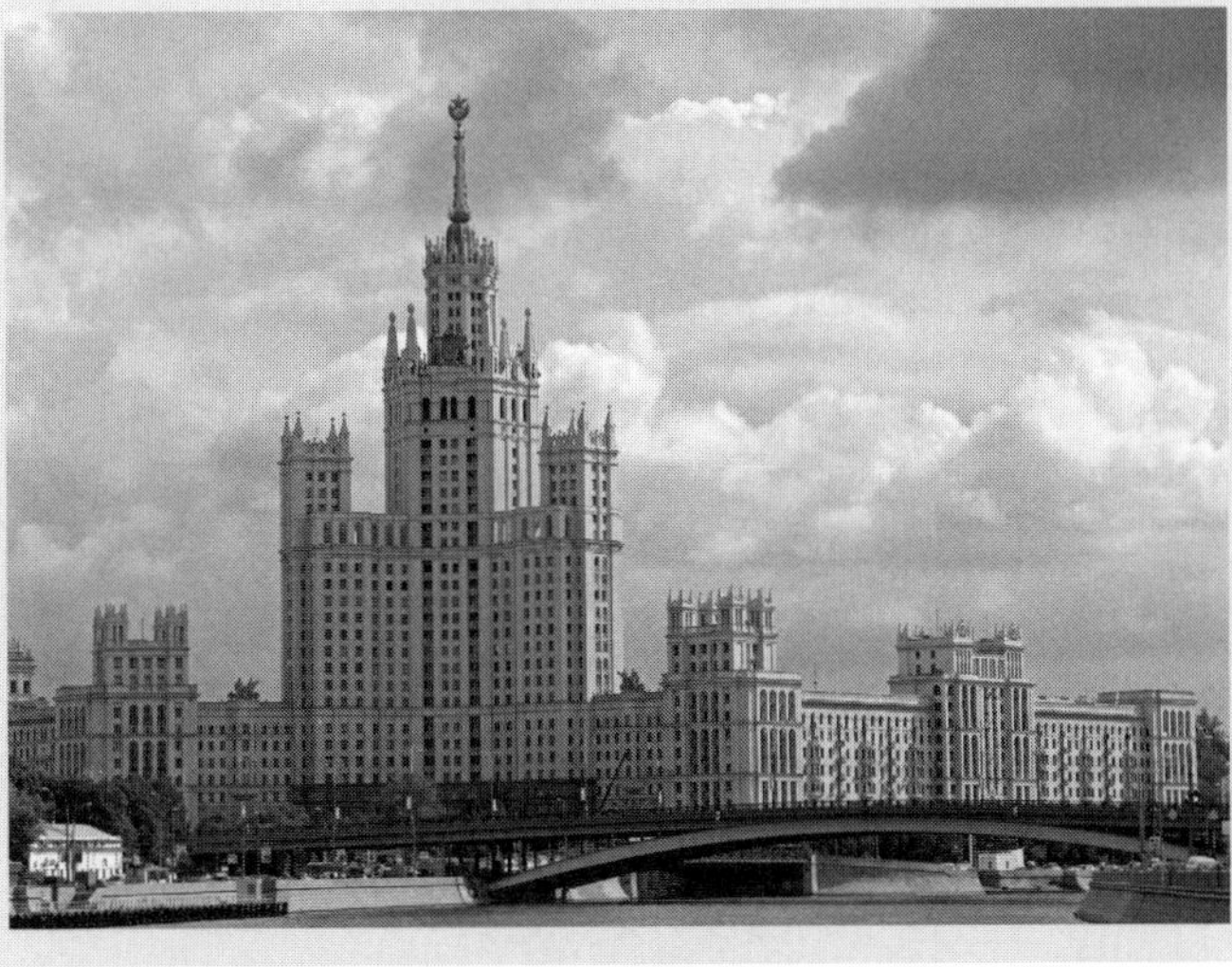

モスクワの芸術家アパート（ロシア）

73 ベルサイユ宮殿で樹立されたドイツ帝国と二度の世界大戦

「ドイツ第二帝国」の建国宣言は、普仏戦争の戦塵さめやらぬうちにベルサイユ宮殿鏡の間で行われました。リシュリュー、ルイ14世、ナポレオン1世によって封じ込められた統一ドイツの復活を、全ヨーロッパに見せつけるには、これ以上の舞台はありませんでした。

初代ドイツ皇帝となったウィルヘルム1世は、シャルルマーニュ（カール大帝）の継承者となり、かつてロタール1世の王国の一部だったアルザスとロレーヌは、その地域選出の議員たちの猛抗議にもかかわらず、ドイツ帝国に編入されました。

この地域は、皇帝直轄領としてプロイセン人たちに支配され、第一次世界大戦のフランス共和国の勝利によってフランス領となり、第二次世界大戦中はドイツに返還されそうになりましたが、解放によってまたフランス領であることが確定しました。

東方の中進国では、日本が西欧化の成功で台頭し、ロシア・オスマン・中国は苦悩を続けました。アジア・アフリカのほとんどの地域は欧米の植民地になりました。日露戦争の勝利が近代化路線の正しさを世界に知らしめ、アジア・中東の人々を覚醒させたことはいうまでもありません。

こうして、自由と民主主義の原則は普遍的なものとして認められていったのですが、それに伴うように、民族主義、国民主義といったものが行きすぎたかたちで主張されることも多くなって、これが20世紀にさまざまな功罪として現れてきます。

その間に、ヨーロッパでは社会主義の台頭があり、それは、西ヨーロッパにあっては、保守主義と自由主義の対立軸を、穏健保守と穏健左派の対立軸に変えていきました。一方、ロシア革命により、全体主義的な共産党政権が樹立されました。そして、イタリアやドイツでは、民族主義・社会主義・資本主義の奇妙な混合物であるファッショ政権が成立し、それは日本や中国を含む多くの国である程度、模倣されました。

その結果は、コミンテルンの巧みな工作もあって、仏英米にソ連・中国が中核をなす連合国と日独伊の枢軸側による第二次世界大戦となり、連合国が勝利しました。二度の大戦で、アメリカがつけば英仏が勝つというパターンができ、ソ連も押さえ込めるかと見られましたが、核兵器の独占が崩れたことと、中国での共産党政権の勝利で東西冷戦の時代となりました。

74―シオニズムの原点のドレフュス事件とは

皇帝ナポレオン3世が仏独国境のセダンで降伏し捕虜となったので、パリでは民衆が蜂起してブルボン宮（帝国議会）を囲み、議会は機能を停止しました。国防政府が樹立され戦争を継続しようとしたのですが、穏健共和派のティエールがビスマルクと交渉し、総選挙を行うための停戦を勝ち取りました。

この選挙で多数派を占めたのは王党派で、ティエールが大統領となり、アルザス・ロレーヌ地方の割譲などを決めました。プロイセン軍はパリ入城のパレードを行いましたが、怒ったパリ市民は独自の選挙を行い、パリ・コミューンの成立を宣言しましたが、ベルサイユに移っていた政府は、パリを包囲し、最後は、ペール・ラシェーズ墓地の壁の前に追い詰めて反乱軍を虐殺しました。

このあと、もう少しで王政復古になりかけたのですが、アンリ5世になるはずのシャンボール伯（7月革命で追放されたシャルル9世の孫）が三色旗を拒否したのがきっかけで混乱し、第三共和政が発足しました。

第三共和政は、大胆な改革はできない議会主導の体制だったのですが、第二帝政下で経済に地力がついていたので、産業は発達し、人々の生活は向上しました。いわゆる「ベル・エポック（良き時代）」です。

1889年には革命100周年を祝う第4回万国博覧会が開かれ、その目玉としてエッフェル塔が建築されました。百貨店ボン・マルシェは、近代的なデパートの元祖であって「消費者のためのカテドラル」として空前の成功を獲得し、文部大臣フェリーは、無償で宗教的色彩を排除した公教育制度を完成させました。

そんななかで、「ドレフュス事件」は、ユダヤ人問題に火をつけ、シオニズム運動の出発点にもなりました。このころ、巨利を上げるユダヤ系の金融資本などに、階層を超えた反感が高まっていたのです。

ベルリンの大使館で参謀本部内にスパイがいることを示すメモが見つかり、ユダヤ人であるドレフュス大尉が疑われ、終身禁錮になりました。しかし、真犯人はエステルアジ少佐（作曲家ハイドンが楽長を務めたハンガリー王国の大貴族の傍流）とわかりました。

しかし、軍上層部はもみ消しをはかり、作家エミール・ゾラが新聞に『私は弾劾する』を発表するなど進歩的知識人から集中砲火を浴びました。事件発覚から12年たった1906年になって無罪が確定し、ユダヤ人が自らの国を持たねば、という意識の覚醒がシオニズム運動の原点となり、20世紀において厄介な問題を引き起こすことになります。

75―ドイツ第二帝国とアラブ・アフリカ

ドイツのビスマルクは、フランスの対独復讐を避けるために、フランスと英国が植民地獲得競争に走るようにし向けました。アルジェリアにはアルザスやロレーヌからドイツの支配を嫌う多くの移民が入りました。

サハラ砂漠の南では、英仏が奥地への探検を始め、やがて、スーダンのファショダで東西を横断しようとするフランスと南北を縦断するイギリスが衝突しましたが、なんとか互いに譲り合いだんだんと英仏協調が見えてきました。

普仏戦争の結果として、ドイツ帝国は地政学的優位を獲得したにもかかわらず、第一次世界大戦という戦争を引き起こしたのには、ドイツ皇帝ウィルヘルム2世の生い立ちが原因としてありました。

母は、英国ビクトリア女王の長女ビッキー（ビクトリアの愛称）です。彼女は王太子フリードリヒと結婚したものの、どうしてもドイツが好きになれませんでした。その長男であるウィルヘルムは、あまり愛情を注いでくれなかった母の母国である英国を凌駕する帝国の皇帝たらんとしたのです。軍服などを「おとぎばなし風」のものにするコスプレ大好きはご愛敬ですが、海軍を強化し、植民地獲得競争に加わって英仏と対立しました。もっとも、良い土地は英仏が抑えていたので、ドイツが獲得したのは誰も見向きもしなかった土地がほとんどです。

また、オスマン帝国に接近し、3B（ベルリン・ビザンツ・バグダッド）連携を唱え、ダマスカスで反十字軍の英雄であるサラディンの墓に詣でて「全イスラム教徒の友」と演説して、英領インドを死守したい英国の虎の尾を踏みました。

アジア・アフリカに目を向けると、ビクトリア女王を皇帝とする「インド帝国」が発足しましたが、全土の3分の1ほどは藩王国として封建領主の支配に任されました。

アフリカでは、エジプトは、1830年代にムハンマド・アリーの下で実質的に独立し、フランスとともにスエズ運河の建設を図りますが、財政は破綻し、持ち分をイギリスに譲るなどして、1882年に保護国化されました。

19世紀後半になると、奴隷制度は時代遅れになりました。フランス革命以来の人権意識の高揚も理由ですが、生活や人生の全般の面倒を見なくてはならない奴隷よりも、時間単位で労働力を買うほうが合理的だと思われるようになりました。

産業革命によって原材料が必要となり、直接的な資源開発が拡大しました。また、アフリカは市場として有望でないかという思惑も出てきて、英国やフランスを先頭にヨーロッパ諸国は奥地へ支配を伸ばしていったのです。

ビスマルクの主宰によるベルリン会議（1884〜85年）は、「勢力範囲の原則」と「実効支配の原則」を確立し、沿岸部を領有する国は、内陸の領有宣言をすることが可能だが、その代わりに、ほかの国が通商や交通できる安全を保証する義務も負うというものでした。この状況を背景に、アフリカ地図も白地がほとんどだったのが、綺麗に色分けされるようになったのです。

そんななかでボーア戦争が起きました。もともと現在の南アフリカは、オランダの植民地でしたが、1814年にイギリスがケープタウンを横取りしたので、オランダ（ボーア）人たちは奥地に移ってオレンジ自由国やトランスバール共和国（ヨハネスブルク周辺）を樹立しました。

しかし、オレンジ自由国のキンバレーでダイヤモンドが発見され（1867年）、トランスバールで金鉱が見つかると（1886年）、英国はこれらの地への攻勢をかけ、二度のボーア戦争などを経て併合し、英領南アフリカ連邦が成立しました（1910年）。

ボーア戦争ののち英国はボーア人との融和を図り自治が進みましたが、ボーア人労働者はどんどん流入する黒人との競合を恐れたので、南ア政府はボーア人の優先的権利を定め、第一次世界大戦後にはアパルトヘイト政策が確立されて、のちのち大問題になっていきます。

イギリス人で南部アフリカ開発を進め、ボーア人から恨まれ、アフリカ人からも植民地主義の権化といわれたのがローデシアの語源になったセシル・ローズです。彼はオックスフォード大学に莫大な寄付をし充実した奨学金制度を創設し学術の大功労者でしたが、21世紀になって、アフリカでもイギリスでもローズの銅像などを撤去する動きが広まっています。

ローズに限らず、植民地主義や奴隷制度に関与した人たちに対して、同様の動きがありますが、それなら、誰よりもビクトリア女王を否定すべきなような気もします。

アメリカでは、かつては、リベラル勢力の偉人だったウッドロー・ウィルソン大統領が、人種差別主義団体KKKの熱心な支持者だったことから、総長だったプリンストン大学から顕彰の痕跡が抹消されつつあります。

76―明治日本の成功と清国の崩壊の差はどこから来たのか

1860年代から1870年代の世界を顧みると、プロイセンが普仏戦争でフランスに勝ち、ドイツ帝国を樹立し、ヨーロッパの大国として振る舞いだしました。イタリアもサルディニア王国がローマ教会やオーストリアの抵抗を押し切って統一しました。

アメリカは南北戦争で奴隷制という宿痾《しゅくあ》から脱し、これも世界の大国として動き出し始めていました。一方、ロシア、オスマン帝国、清国という東方の大国が、近代的な大国として生まれ変わるべく争っていました。しかし、意外な勝者は日本でした。

大航海時代のころ近代化に成功して、世界最先進国に近い存在だった日本ですが、オランダ以外との通商を絶って隠者になってしまい、2世紀半も技術的進歩から取り残されていました。

ところが、捕鯨船への薪水の補給などをもとめたペリー提督率いるアメリカの艦隊が、江戸湾に停泊して強く開国を迫ったところ、意外にも簡単に受け入れ、数年のうちに日米修好通商条約（1858年）を結び貿易も始めました。ただし、鎖国のせいで200年以上も前のウェストファリア条約（1648年）以来の積み重ねを知りませんでしたので、交渉相手のハリスに教えを請う有様でした。

この様子に憤ったのが、下級武士を主体とした尊王攘夷派といわれた人々でした。彼らのなかには、保守派もいましたが、大きな部分は、16世紀にあって積極的な海外進出を推進した西日本の大名たちとその家臣の子孫たちでした。

たとえば、そのイデオローグだった吉田松陰はペリー艦隊に頼んでアメリカに密航しようとしたくらいです。日本が統一国家として毅然とした立場で交渉すべきということが彼の主張で、鎖国が正しいと考えていたわけではありません。

そして、太陽神の子孫と称する名目上の君主でありながら、封建諸侯連合の盟主である将軍に政務を委任していた明治天皇（在位1867〜1912年）を、近代的な君主に仕立て、日本は世界史の舞台に再登場したのです。

「王政復古」によって誕生した新政府は、4年のうちにすべての封建諸侯の領国を廃止する革命に成功し、徴兵制に基づく近代的な軍隊、普通教育を基本とした世界最新鋭の教育システムの整備に成功するなど、「文明開化」につとめました。

憲法と議会の開設についても、たまたま1879年に訪日したグラント前大統領らの勧めを入れて漸進主義で、着実に進展させることを方針として決定し、1889年には憲法を施行、国会が開設され、漸次、政党政治も実現していきました。

一方、日本は中国や朝鮮などに対して伝統的な東洋風の国際関係から脱して近代的な国際法秩序に従うように要求しましたが、ようやく、日清戦争の結果として日本の要求が認められ、日清の間で微妙な立場にあった沖縄も日本領として確定したほか、台湾の割譲を受け、韓国は完全な独立が認められ大韓帝国となりました。

日本は朝鮮が近代化を進め日本に友好的な独立国であることを望みましたが、大韓皇帝は近代化を拒否するとともに、ロシアを呼び込んで日本の安全を脅かすなどしてパワーゲームを安直にもてあそびました。そういうロシアの野望は英米も危惧するところとなり、日英同盟が成立しました。

その間も、ロシアはシベリア鉄道を仮開通させるなど圧力を強めたので、1904年から日露戦争が始まり、日本海海戦などを経て日本は勝利し、アメリカのセオドア・ルーズベルト大統領の仲介でボーツマス条約が結ばれ、北東アジアの国際秩序は日本主導で律せられることになりました。

日本は中国の近代化を前向きに支持し、多くの日本の民間人が革命勢力を支援しました。清国は、同じ時代、西太后や李鴻章が権力を持っていましたが、「和魂洋才」に似た「中体西用」にこだわったので成果があがらなかったのです。つまり、蔣介石は「日本人は政治、憲法、社会組織、軍事制度、科学精神まで採り入れようとしたが、李鴻章らは西洋人の長じる技術にしか興味がなかった」と分析しました。日本が欧化路線を修正して伝統文化再評価に転じたのは、明治20年、つまり1887年ごろになってからのことです。

清朝の皇族や官僚も無為に過ごしたのではないのですが、中国文化への過度の誇りと、満州族の特権維持と近代化の両立が困難でした。そんななかで光緒帝は「戊戌《ぼじゅつ》の変法」を試み、伊藤博文を顧問に招聘しようなどとしますが、西太后の周辺に集結した改革反対派のために監禁され謎の死を遂げます。

伊藤博文の名声は中国人のあいだでも高いものでした。近年、哈爾浜《はるぴん》駅に伊藤博文を暗殺した安重根の記念館が設けられましたが、当時の中国では伊藤博文を偉人として肯定的に見る方が主流だったのですし、テロを恐れる習近平や父母を殺された朴槿恵が顕彰するのもおかしな話です。

このころ日本では西洋の書物が盛んに翻訳されており、西洋文明を吸収するには好都合だったことから留学生が殺到し、多くの西洋起源の言葉が日本人によって漢語に翻訳され、それが中国語にも採用されました。

もともと、孫文らは満州人の支配から脱したいといって日本人から援助を受けていたのです。満州人は満州に帰り、モンゴルやチベットなどはそれぞれに独立するというのが筋のはずでした。

ところが、孫文らによる辛亥革命（1911年）は、満州人が支配する満漢蒙の連合国家たる大清帝国を、漢民族が支配する中華民国に引き継がせました。清国の内閣総理大臣となった漢族の袁世凱が裏取引で、満州人やモンゴル人の貴族の待遇を保証することと、皇帝溥儀が紫禁城に住み続けること、歴代の御陵を守ること、自身の大総統就任などを条件に清の領土をそのままのかたちで、中華民国に移管してしまいました。

そして、袁世凱は、外国の利権の回収にかかりました。もっとも、イギリスなどの中国を半植民地扱いする権益と、日本やロシアのような隣接国が中国の外縁部にもっていた権益とでは性格が違うのですし、それは、中南米に同じような特別の関係があるアメリカも理解はしていたはずですが、やはり思惑に差が出てきます。

そして、日本は利害が共通する革命前のロシアと接近していきますが、これがアメリカからすると気に入らないということになりました。

77―セオドア・ルーズベルトの棍棒外交とは

南北戦争ののち、アメリカの西部開拓は進み、大陸横断鉄道がユタ州で太平洋と大西洋とから延びた線が結ばれて完成しました。ベルが電話通信を発明したのもこの時代で、リンカーンの残存任期をアンドリュー・ジョンソンがつとめたあと大統領となったグラント大統領のとき、財務長官のバウトウェルのおかげで、財政の健全化が実現しました。

また、アメリカは独立から100年が祝われ、フランス国民から記念に贈られたのが、ニューヨークにある自由の女神の像です。

アメリカ資本主義が発展するにあたり、ヨーロッパでのような国家統制がないだけに、過当競争になったので、1870年代あたりからカルテルによる価格協定や生産制限が広まりました。さらに80年代になるとロックフェラーのスタンダード石油などが巨大化し、持株会社による企業集中も進みました。

これを受けて1890年にシャーマン法が立法され、徐々に考え方が整理され、競争政策は、アメリカ資本主義になくてはならないルールになっています。

ウィリアム・マッキンリー（在任1897~1901年）の時代の、米西戦争におけるスペインに対するアメリカの勝利は、日清戦争での日本の勝利とともに帝国主義が新しい段階に入ったことを象徴し、アメリカはフィリピン、プエルトリコを獲得しました。

さらにフィリピン防衛のために必要だとしてハワイ王国を併合し（1898年）、日韓併合の先例となりました。もし日韓併合が不当ならハワイ併合もはるかに不当です。また、中国に対しては門戸開放を呼びかけて、立ち後れを回復しようとしました。

セオドア・ルーズベルト（在任1901~09年）は、軍事的な圧力を背景に、「静かに歩いても、棍棒を持ってさえいれば遠くに行ける」ということをモットーにしていました。彼がパナマ運河を建設するためにコロンビア国内の分離派を巧妙にけしかけたことを理想主義者は非難しましたが、「運河を建設する前に半世紀も議論するよりも、建設してから私の処置について半世紀議論したほうがましだ」と反論しました。

確かに、彼の外交も内政も、威嚇を背景にしたものでしたが、脅しで済めばそれで十分だということであったし、棍棒をふるうにしても最小限で留め、十分に理性によって抑制されたものでした。また、一方で、国内では、進歩主義的改革を始め、また、アウトドア派だった彼は環境保護政策にも取り組みました。

その後任のウィリアム・タフト（在任1909〜13年）は、「砲艦外交」に代わる「ドル外交」を展開しました。一見、よさそうに見えますが、ヨーロッパや日本にとっては、血を流して手に入れた植民地などを自由な市場として開放し、ドルの力で横取りするなどという作戦が気に入るはずありませんでした。

78 — 社会主義にキリスト教はどう反撃したのか

生産手段を国家の統制下に置き、平等な社会をつくる考え方は、フランス革命期のサン・シモンらに始まりました。具体性を欠き、マルクスからは、「空想社会主義」とのちに批判されることになりますが、フランス2月革命では、ルイ・ルブランが政府に加わり、普通選挙が採用され、国立作業場の試みも実行されましたし、ナポレオン3世はサン・シモンに影響されており、その考え方の影響は大きかったのです。

2月革命の直前には、ロンドンでマルクスとエンゲルスが『共産党宣言』を発表して、政治の主たる対立軸が絶対君主と市民から、資本家と労働者の階級対立に移ったと主張し、マルクスはそののち『資本論』を執筆するなど理論武装を進めていきました。

1863年に、第一社会主義インターナショナルが結成されましたが、アナーキズム（無政府主義）との対立もあり、1872年には活動停止となりました。

しかし、生産手段の国家管理や、農地改革、奴隷や植民地支配からの解放、労働条件の向上、労働組合の結成、普通選挙の実施、反宗教ないし非宗教の徹底、そして国際主義といった特色を持つ、社会主義的とされる考え方は、広汎に広まっていきました。

そして、過激な社会主義革命を回避するために、主張は部分的に各国で採用されました。1889年には、ドイツ社会民主党が中心になった第二インターナショナルが結成されましたが（現在も存続し日本でも社民党がメンバーになっています）、第一次世界大戦を止めることができなかったので、失望されました。そうしたなかで、過激な形で反戦と社会改革を実施しようという、レーニンらの主張も支持を増していったのです。

一方、社会主義と行きすぎた自由主義への対抗軸としてキリスト教民主主義というのが、生まれてきたのもこの時代です。

中世の封建的な思想の総元締めともいえたローマ教皇が、現代の世界でも生き続けていることを可能にした功労者が、19世紀末に近代社会との和解を実現したレオ13世（在位1878〜1903年）です。父はナポレオンに仕えた軍人で、母は中世ローマの英雄的政治家リエンツィ（ワグナーのオペラの主人公）の子孫でした。

フランス革命からのちの自由主義や民主主義の進展のなかで、教会自身が財産を持ち、反動的な政権と密着してきたという本来の信仰とは関係のないしがらみが教会に悩みを与えました。

また、グレゴリウス16世（在位1831〜46年）は、「鉄道は地獄への道」と拒否するほど反動的でした。ピウス9世（在位1846〜78年）は、自由主義的で、リソルジメント（イタリア再統一運動）の盟主としても期待されましたが、「オーストリアと戦わない」と声明したことで声望を失い、カブール首相や革命家ガリバルディが主導するサルディニア王国主導の統一運動とも正面衝突してしまいました。

1861年、教皇領抜きでイタリア王国が成立し、1871年にローマ遷都したので教会は、「バチカン捕囚」を宣言することになり、第1回バチカン公会議を開いて「教皇不可謬《ふかびゅう》説」を採択したり、ドイツを統一したビスマルクと結婚や教育などへの教会の関与を巡って「文化闘争」を戦ったりして対抗しました。

レオ13世は、ビスマルクとは「政教和約《コンコルダート》」を結んで、教会の社会への統率力の強化、公教育の非宗教性の徹底をやめさせ、教会税の徴収にも協力させせました。

しかし、社会的に大きな影響を与えたのは、社会問題についての回勅《かいちょく》で、1891年の「レルム・ノバールム」は、その集大成といえました。アリストテレスのいう分配的正義に基づき、使用者は労働者の弱みにつけ込むことなく家族を養うに足りる賃金を払わねばならないし、国家も福祉を保証する規制や事業を行わねばならないということが基本である。また、家族の将来に役立てるために私有財産を持つことは人間の本性に合致するが、それは善用されねばならないとしました。

個人や家庭は国家に先行する社会であり、教会やさまざまな団体など部分社会にはそれぞれの役割があり、国家はそれらに優越しない。この論理において、労働組合は容認され、政治形態は、それが教会の持つ道徳観や自立性を犯さない限りは、多様であってよく、例えば共和制を否定するものではないといったものでした。

この原則に基づき、民主主義とカトリックが両立することが明確にされ、キリスト教民主主義という政治勢力も生まれました。つまり、カトリックの社会観に基づき、自由放任にも極端な社会主義にも反対するが、教会の支配は直接的には受けないというもので、キリスト教民主主義政党を生みました。この宗教と政党の関係は、カトリック以外でも広く受け入れられ、日本の創価学会と公明党の関係もよく似た整理がされています。

こうして、ローマ教会と近代社会は和解したのですが、レオ13世もバチカン捕囚問題は解決できず、ピウス11世とムッソリーニとの「ラテラノ協定」で、バチカン市国が設立され、また、教皇領についての金銭的補償がされるまで持ち越されました。

79—第一次世界大戦直前の欧州情勢を俯瞰したら

イギリスでは、19世紀の半ばには、自由党と保守党が政権交代を繰り返し、イギリス的な民主主義が確立し、選挙権も順調に拡大していきました。

そのなかで、労働者政党を結成しようとする運動が起こり、1884年に結成されたフェビアン協会を母体として1906年に「労働党」が成立され、1910年の総選挙では自由党と連立し政権入りを果たしました。

フランスでは、王党派など伝統的な右派が勢力を減退したあと、左派だけでなく、中道派も力を増してきました。教会は長らく共和国と対立してきましたが、すでに書いたように、キリスト教民主派というものが成立しました。

一方、共和派のなかで小市民的な人々は、名前は急進主義でも、現実には体制化した穏健改革派をなすようになってきました。そんななかに、議会の論戦を通じて多くの内閣を倒したことから「虎」というあだ名を持つジョルジュ・クレマンソーがいました。

対独復讐の急先鋒で仏英露の三国協商を結ぶことに成功しました。英国はその前に日英同盟を結んでいたので、これで第一次世界大戦の連合国の枠組みが完成し準備は万端になりました。

ハプスブルク帝国では、ハンガリー人の立場を尊重して、オーストリア・ハンガリー二重帝国になっていましたが、こんどは、スラブ人たちが同等の地位を要求して動き出し、厄介な問題になっていました。それは、オスマン帝国でも同様でした。

中東では第一次世界大戦まで、オスマン帝国の支配がおおむね維持されていましたが、1908年にトルコ青年党による革命によってトルコ民族主義が高揚し、中央集権やトルコ語の強制などが図られたので、アラブ人意識がこれに反発する形で芽生えました。

80―欧州にとっては第一次世界大戦のほうが第二次より重要

「パリ祭」（7月14日の革命記念日）は、フランスのナショナル・デイですが、それに次ぐ大事な祝日は、11月11日の「休戦記念日《アルミストル》」です。第二次世界大戦のそれではなく1918年に第一次世界大戦が終わった日のお祝いです。

第二次世界大戦は、いったんナチス・ドイツに負けたあとで、レジスタンスを続けたド・ゴール将軍らが英仏の支援でナチスからフランスを「解放《リベラシオン》」したのであって、戦争に勝ったとは言えないのです。

休戦記念日にはエトワールの凱旋門広場にある無名戦士の墓への献花がハイライトですが、第一次世界大戦では連合国の主要メンバーだったから、日本大使も胸を張って参列できます。

19世紀末は、イギリスのヘゲモニー（主導権）が確立され、日本、アメリカ、フランス、ロシアがこれと良い関係にありました。古代のパクス・ロマーナに習い、「イギリスの平和《パクス・ブリタニカ》」と呼びます。産業技術は発展し、民主主義は進展し、シティに世界中から資金が集まりました。しかし、ドイツが経済と軍事力を発展させ、植民地や市場争奪戦で挽回を図ろうとしていました。

このころ、オーストリアとオスマンの両帝国は、領内のスラブ人に悩んでいましたが、サラエボ（ボスニア・ヘルツェゴビナ）でのオーストリア皇太子夫妻殺害事件をきっかけに、オーストリアが過大な要求をセルビアにつきつけ、それがきっかけで戦争が始まりました。

第一次世界大戦の天王山は、ロレーヌ地方ベルダンです。ドイツ軍は1914年の開戦ののち、普仏戦争のときと同じように電撃作戦で進撃してきましたが、フランス軍はこのベルダンで塹壕《ざんごう》を掘って死守し、勝利に結びつけました。ここでの戦死者は、両軍あわせて14万人。記念館には山積みされた白骨が凄惨な記憶を伝えます。皇太子時代の昭和天皇が訪欧されたとき、ジョージ5世からの勧めでここを見学しています。

こうしてフランスは持ちこたえ、膠着《こうちゃく》している1917年にアメリカが参戦して連合軍が優位になりましたが、ロシアが革命により単独和平をしたのでドイツは息を吹き返しました。

しかし、ドイツで出撃命令を拒否した海軍兵士がキール軍港で反乱を起こし、これがきっかけでドイツ革命が起きて、皇帝ウィルヘルム2世はオランダに亡命し、11月11日、パリ郊外のコンピエーニュの森で連合国と停戦協定が結ばれました。こうして、戦死者802万人、民間人死者664

万人という未曾有な戦争は終わりました。

日本もヨーロッパでの戦争については、日英同盟での義務ではありませんでしたが、参戦し山東半島のドイツ租借地や南洋諸島を占領し、地中海に艦隊を派遣しました。

講和会議はパリで開かれ、フランスはアルザスとロレーヌを取り戻し、アフリカ大陸のドイツ領カメルーンやトーゴ、それにオスマン帝国領のシリアとレバノンを獲得し、多額の賠償金を獲得しました。イギリスも同様にタンザニア、イラク、パレスチナなどを得ました。

アメリカのウィルソン大統領は民族自決の理想を唱え、ハプスブルグ帝国やオスマン帝国を解体させ、ロシア帝国を引き継いだソ連を弱体化させましたが、ドイツ帝国だけは名前をワイマール共和国に変えさせただけで存続できました。

講和会議で日本側からは「人種平等の原則」を提案しましたが、白豪主義でひどい人種差別をしていたオーストラリアとその宗主国であるイギリスが猛反対し、さらに、アメリカも移民問題など国内に火種を抱え、上院が反対決議をするなど同調してくれませんでした。ウィルソン大統領の提案した国際連盟が発足しましたが、アメリカは議会の批准を得られなくて加盟できませんでした。

そこで、イギリスがアラブ人やユダヤ人を後押しして、オスマン帝国に反旗を翻させようとしたわけですが、これがパレスティナ問題など中東の混乱の原因になったことは、第72項目で解説したところです。

オスマン帝国はギリシャが侵攻し、1920年8月、セーブル条約を承認し領土の大半を失いました。しかし、ムスタファ・ケマル（ケマル・パシャ）は猛抵抗し、ローザンヌ条約で現在の領土を確保し、トルコ共和国を宣言し、非宗教国家になりました。

81―モンゴル人レーニンとジョージア人スターリン

レーニン（1870～1924年）は第一次世界大戦が1914年に勃発したとき、帝国主義戦争として、このチャンスを内乱に転化させていくべきだと主張しました。

2月革命後もケレンスキー政権は戦争続行を図りましたが、レーニンは和平を主張して厭戦《えんせん》気分になっていた国民の支持を広げ、10月革命で政権を握りました。すべての交戦国に無併合・無賠償の講和を提案したものの拒否され、ブレスト・リトフスク条約で、バルト三国の独立を認めるなどして停戦しました。

そののち、第二インターに代わるコミンテルンの創設、ロシア正教会をはじめとする宗教の弾圧、物資不足へ対応するため市場経済を部分的に復活させたNEP（新経済政策）の実施などを行いました。さらに、1922年には、民族ごとの共和国の連合体としてのソビエト社会主義共和国連邦の樹立を宣言し（第84項目参照）、2年後に死去しました。

スターリンは、1929年に権力を握り、1953年のその死去まで独裁者として君臨しました。就任の年から2次にわたる5カ年計画を通じて、工業化と農業集団化を推し進めました。この体制は、「餓死者を出さず戦車を大量生産する」といった単純な目標を達成するためには有効に働き、のちに独ソ戦を勝ち抜く原動力になりました。

なお、ソ連の農業政策については、スターリン体制初期の1932～33年に、農業集団化の過程での政策失敗で、穀倉地帯でホロドモールといわれる大飢饉が起こり、ウクライナで最大の餓死者を出しました。ただし、カザフスタンや北コーカサスのほうが餓死者の比率は高く、たとえば、ゴルバチョフの親戚も何人も死んでいます。

ウクライナ人狙い撃ちのジェノサイドというウクライナの主張は根拠がないと歴史家の大部分は考えてきましたが、ウクライナ紛争が起きると、ウクライナの主張する歴史観を認めようという動きが世界的にあります。しかし、それはあまりにも便宜主義的だと思います。

スターリンは、政敵や体制批判派を粛清し個人崇拝を強制する一方、ファシズムが台頭すると西欧的な社会主義勢力などとの「反ファシズム統一戦線」を重視するように方向転換しました。また、コミンテルンの工作員は世界各国の中枢部に入り込み、政策に影響を与え、技術を盗み出しました。

スターリンは1939年に独ソ不可侵条約を締結し、1939年9月、ヒトラーのドイツがポーランドに侵攻して第二次世界大戦に入ると、スターリンもポーランドに侵入し、その東半分を獲得し、さらにソ連・フィンランド戦争を起こして領土をかすめ取り、バルト三国を併合しました。

一方、西ヨーロッパでは、穏健な社会主義勢力が力を伸ばしました。イギリスではマクドナルド党首のもとで、労働党が自由党に代わって二大政党のひとつとしての地位を確立し、とくに、19

18年の男性普通選挙の実現、1928年の女性参政権の実現を追い風に政権を獲得しました。

スペインでは1931年に王制が倒れ、1936年に左派勢力が結集したスペイン人民戦線内閣が成立します。軍とファシストが反乱を開始し、フランコ将軍が挙兵、モロッコ側から本土に侵攻してスペイン内戦となりました。

ヒトラーやムッソリーニは、フランコ将軍を援助し、人民戦線側には欧米各国からヘミングウェーのような義勇兵が駆けつけました。ピカソの絵画で有名なバスク地方の都市ゲルニカの無差別爆撃などを経て1939年にフランコ側の勝利に終わりました。ただ、フランコ派は、カトリック保守派にも支持されていたので、第二次世界大戦では中立を守りました。

フランスでは、レオン・ブルムの人民戦線内閣が成立して有給休暇など労働者が人間的な生活をするための諸制度を発明しました。首相や外相を務めたアリスティード・ブリアンが奔走して、パリ不戦条約のような崇高な理想をかたちにしたりもしました。

こうした理想主義は、かえって、独裁者ヒトラーやムッソリーニの台頭に甘かったのです。ヒトラーがライン左岸の再武装化に踏みきったとき、英国やフランスの「良識派」は、それがドイツの正当な権利の行使であると一定の理解を示してしまったのです。しかも、どこで歯止めをかけるかをよく考えなかったのです。

82―ナチスの狂気を世界はいつ知るべきだったか

ファシズムという言葉は政敵に対する悪口として安易に使われますが、あまり一般論化すると不正確になると思います。

元祖はイタリアです。第一次大戦で戦勝国として満足できる領土獲得ができなかった不満がまずありました。社会党員でありながら参戦に反対して党を除名されたムッソリーニは、その原因を、統一されてからの時間も短く、国民意識が不十分で秩序と統制がとれていなかったことに求めました。ファッショというのが「束」を意味します。

そして、一党独裁のもとで指導者に対して絶対に服従させる体制を確立し、反対者は抑圧し、資本主義や伝統的権威は否定はしないが統制を強め、社会主義の良いところは採り入れ、民族的な栄光を巧みなメディア戦略のもとで求めていこうとしたわけです。

イタリアにはローマ帝国の栄光という歴史があり、周辺にサボイ、ニース、コルシカ、マルタ、チュニジア、リビア、イリリア、アルバニアといった領土要求をしたい土地もありました。そこで、「ローマ進軍」というデモンストレーションを強行し、国王から首相に任命されて、現状に飽き足らない層を幅広く集めました。

狙いは大当たりして、チャーチルですら絶賛したほどでした。とくに、ローマ教会とのあいだでラテラノ条約を結んで、バチカン市国の独立と経済的な保障などで合意したのは大成功でした。ただ、低俗だったし言論を抑圧したので、指揮者のトスカニーニのように多くのイタリア人が反対して国を出ました。また、成功を続けるのは至難の業でした。

ムッソリーニの「成功」は、多くの国に影響を与え、これを真似た政党もできました。しかし、そのなかで、現実に似たというより、より徹底して成功したのはドイツのナチスです。

日本では気にくわない政治家をすぐにヒトラーにたとえたりしますが、それは、ナチスのホロコーストの異常さに対する認識不足がゆえだと思います。

ドイツでは、ナチスの活動ができないだけでなく、ジェノサイドの存在を否定すること、ナチス式の敬礼をすること、鉤《かぎ》十字などを販売することなどすべて禁止で、そこまでしなくてはドイツ人はまたナチスに傾きかねないというのです（ナチスだけでなく共産党も非合法であることも忘れてはなりません）。

しかし、これは、臭い物に蓋をしたい面もあると思います。ドイツばかりでなく、欧米のほかの国でも、ヒトラーやナチスを評価したり、協力したりした人は多く、「王冠を賭けた恋」で退位したエドワード8世とか、ケネディ大統領の父で駐英大使だったジョセフ・ケネディやフーバー大統領などがその典型です。

ムッソリーニのローマ進軍クーデターに触発されて「ミュンヘン一揆」を企てますが失敗して服役中に『我が闘争《マイン・カンプ》』を著し、出獄後の１９３０年には第2党に躍進しました。１９３３年にヒンデンブルク大統領のもとで首相となり、翌年には全権掌握しました。

ヒトラーが人類史上でも希有な悪魔的人物であることはいうまでもありませんが、危険性にどこで気づくべきだったのか、どこで止めるべきだったのか、回答するのは簡単でありません。

『我が闘争』に記載されたヒトラーの哲学は、「陳腐で空想的で、従来からの右翼過激思想を通俗的にまとめ上げただけで、知的な流れをつくりだすものではない」とキッシンジャーは言っています。

しかし、演説はカリスマ性にあふれ、敵をつくり出して、いじめっ子的な快感を与えましたし、知的な人には、それなりに穏やかに好感を与えるような話し方をする術を心得ていました。また、メディアや芸術家を活用した効果的な宣伝の天才でした。

イギリスも、ミュンヘン会談のときまでは、(ドイツに不利な)第一次世界大戦の戦後レジームからの脱却には、それなりの正当性があるとして理解を示していました。

ユダヤ人排撃はヨーロッパ史では、しばしばありましたし、ヒトラーはマダガスカルあたりにユダヤ人の国をつくって移住させようとしていたらしいのが、1942年以降急にガス室送りが始まったのであって、早くからホロコーストを予想するのは無理でした。

つまるところ決め手はないわけで、大衆扇動型のカリスマ、みずからの民族や国家のことを過度に称揚したり、特定の民族や国を標的に集中非難するといった政治家がいたら、うさんくさいと国民もマスコミも政治家も警戒するしかありません。

その一方、外国の国粋主義的傾向にも警戒する必要があるわけで、現在の日本でいえば、右派のヘイトスピーチも困りますが、左派の中韓朝に対する迎合も戦前の英米仏における対ナチス融和論と同様に警戒すべきものです。

ヒトラーは、ベルサイユ条約で非武装地帯とされていたラインラントに進駐、オーストリアを併合したのち、ミュンヘン会談でチェコのズデーテン地方を獲得しました。そして、1939年、チェコの保護領化、独ソ不可侵条約締結と進みました。

フランスと英国は、ポーランドが攻められたとき、条約に基づいてドイツに宣戦布告をしました(1939年)。ドイツがこれ以上肥大化する前に先手を打ったつもりでしたが、この戦いはフランスの惨めな敗戦に終わりました。

独ソ不可侵条約の存在で、東部戦線はドイツにとって楽なものでした。前大戦のドイツ軍占領時の悲惨な体験から、北フランスで大量の難民が出てフランス軍の作戦行動を麻痺させたというハプニングもありました。

北部の防御戦に穴があき、パリへの道が開かれたとき、政府はパリを放棄し、議会は第一次世界大戦の英雄ペタン元帥を呼んで、講和交渉を始めさせました。フランスは北部の占領地域と南部の自由地域に分けられ、ミネラル・ウォーターで有名な中部の温泉町ビシーに「フランス国《エタ・フランセ》」政府が樹立されました。

この降伏は、日本がポツダム宣言を受諾したのとまったく同じで、法的には瑕疵《かし》のないものだったので、公務員はドイツの占領軍やビシー政府に協力しました。しかし、8月15日の日本と違うのは、フランスは、軍事的にはともかく、外交的には孤立しておらず、巻き返しの可能性があることでした。

第三共和政最後の戦争・国防担当閣外相補だったド・ゴールは、英国に脱出し、ロンドンで「自由フランス国民委員会」を結成して、BBCラジオを通じて対独抗戦の継続を訴えました。

そして、1941年にドイツがソ連と開戦したことにより、共産党系の勢力が国内におけるレジスタンスに積極的に参加し、ビシー政府の官僚たちのなかでも、レジスタンスに協力するものが出てきました。

戦後のフランス人は、ごく少数の裏切り者が対独協力していたように言いたがりますが、積極的にナチスに協力しないまでも、多くのフランス人が二つの顔を持っていたのが本当のところです。ミッテラン元大統領ですら、のちに対独協力の疑いを持たれたくらいです。

ヒトラーは、1941年にはソ連と開戦しました。イギリス相手の戦争が山場だというのにソ連と開戦するというのも常識外れですが、独ソ戦を始めることによって日本が後顧の憂いなくアメリカと開戦でき、そのことで、アメリカが欧州戦線に力を注げないだろうといった飛躍した考えをするのが、ヒトラーらしいところでした。

そして、日本軍の真珠湾攻撃を機にアメリカとも戦争に突入しました。東部戦線では、ドイツ軍の勝利が大方の予想だったのですが、スターリンが1000万人を超える死者を出しながらも持ちこたえました。

そして、1943年のスターリングラード攻防戦の敗戦と、ロンドンもドイツの空襲を耐え抜いたことで流れが変わりました。

連合軍がノルマンディーに上陸したのち、ドイツ軍はさほど抵抗せずにパリから退きました。映画『パリは燃えているか』で描かれていたような緊迫のなかで、ヒトラーのパリに火を放てという命令に従わなかったコルテッツ将軍がパリを救いました。

1945年5月にベルリンが陥落し、ヒトラーは防空壕で自殺しました。このあいだ、ユダヤ人の排除を進め、500万人の犠牲者を出したのです。

83―シスター・カントリーとしての中国と日米戦争

「日露戦争で日本が勝って調子に乗りすぎたのでアメリカが警戒し始めた」という見方がありますが、それは、単純すぎます。

大正になって、中国での辛亥革命とアジア諸民族の覚醒、第一次世界大戦、アメリカの国力充実と日本移民排斥、日本での政党内閣の確立と薩長閥の衰退と国粋主義的な傾向の進展といった動きが複合的に影響し合って、日米蜜月が継続することが難しくなったというのが正しいと思います。

とくに、日本の国民感情にとっては、日本人排斥問題が非常な悪影響を与えました。「カリフォルニア移民拒否は日本国民を憤慨させるに充分なものである（中略）かかる国民的憤慨を背景として一度、軍が立ち上がった時にこれを抑えることは容易な業ではなかった」とのちに昭和天皇が語るほどのインパクトがあったのです。

また、こうしたアメリカの移民制限やオーストラリアの白豪主義は、日本人や中国人が満州のような限られたフロンティアに殺到し、それが日中戦争のひとつの遠因でした。

辛亥革命は日米両国の関係に大きな影響を与えました。もともと、アメリカからすればペリー艦隊の圧力で開国し、アメリカをおおいに見習って文明開化を進めた日本は、可愛い存在でした。ところが、辛亥革命によって中国が共和国になったわけですから、まだまだ遅れているとはいえ、けなげに頑張っているので助けてやりたいという気持ちが出てきます。

キリスト教の布教が進まなかった日本に比べて、中国では多くの信者を獲得したことも宣教師たちを通じて好感度を増し、中国のことをシスター・カントリーだという意識も生まれました。

プリンストン大学の総長だったウィルソンは、理想は美しいのですが、偏屈で政治的な幅がありませんでした。この当時の首相原敬（在任1918～21年）や駐アメリカ大使の幣原喜重郎は、非常に親米的な布陣だったのに、ウィルソンは日本側が苦労しつつも対米協調を進めようとしている姿勢を受け止めませんでした。

ベルサイユ条約から2年後の1920年の大統領選挙では、共和党の上院議員ハーディングが「常態に帰れ」、「アメリカこそ第一《アメリカ・ファースト》」というスローガンで当選しました。

共和党政権は軍縮によって財政再建をしようとしました。そこで、海軍軍縮のためにワシントン会議が招集され、海軍軍備制限条約・九カ国条約・四カ国条約の三条約が成立しました。アメリカは中国へのこれ以上の日本の進出を抑えようともし、九カ国条約では、中国の主権尊重・領土保全の原則を承認しました。

そして、四カ国条約によって、アメリカ・イギリス・日本・フランスは太平洋諸島の原状維持を決め、日英同盟は破棄され、この条約が安全保障の基礎となりました。しかし、あらゆる多国間の安全保障体制は無責任体制です。結局のところ当てになりませんでした。現在でも日米安保より日米中の三国、より多国間の枠組みでの平和維持を求めたらどうかなどという人もいますが、空理空論なのです。

このころアメリカ経済は絶好調で、ラジオ放送が開始され、ヘンリー・フォードは自動車を大衆の乗り物とし、ジャズ、野球、フットボールに人気が集まった時代です。映画は女性に働くことや恋愛することを教えました。ただし、ウィルソン大統領末期に禁酒法ができ、アル・カポネのようなギャングが横行しました。

アメリカ製品が世界を席巻し、第一次世界大戦の賠償支払いも、アメリカがドイツに融資し、ドイツは英仏に賠償を払い、英仏はアメリカに債務を償還しました。メキシコとの長年の対立が終わり、中南米と良い関係の時代でした。

世界大恐慌が起きたとき、フーバー大統領（在任1929～33年）は、財政悪化を恐れての消極策や関税の引き上げが、国内需要不足の深刻化や世界的な報復措置の連鎖反応を招き、不良金融機関の破綻を放置したことが金融恐慌を拡大させました。

フーバーに勝ったフランクリン・デラノ・ルーズベルト大統領（在任1933～45年）は、恐慌対策としてのニューディールとケインズ的政策が評価されていますが、日本の高橋是清をはじめ、ヒトラーやムッソリーニからスターリンまで含めてよく似た方向の政策を展開していたのであって、それほど特別なものではありません。

ただ、連邦政府の力が弱いアメリカでそれを実現するためには、ルーズベルトの人事や根回しの力がものをいったのは事実です。SEC（証券取引委員会）を創設して、業界の裏事情に通じているジョゼフ・ケネディ（大統領の父）を委員長に据えたとか、連邦最高裁の判事入れ替えを、引退後を優遇することで実現するなどその典型です。

このころ日本では普通選挙も開始され、とくに、幣原外相が対英米協調を貫き、中国に対しては条約で認められた権益の防衛のためには譲らないが、それ以外については、柔軟な姿勢を見せました。

アメリカは原則論としては中国の主張を支持するような言い方をしつつ、日本の権益も尊重すると留保していたのですが、中国は留保を無視してアメリカの支持を全面的に得ているようないい方で日本権益への攻撃をしたので、日本からみれば、中国のバックにアメリカがついているような印象をもち、日本の反米感情に火がつきました。

そして、政友会の田中義一が首相のときに、張作霖爆殺事件が起きました。このころ袁世凱の死後の北洋政権は安定せず、奉天を根城にしていた軍閥の張作霖が北京に介入して、政権を一時的にとったのです。

しかし、1928年になって、北洋政権の不振をみて、蔣介石は共産党の協力も得て（つまりソ連も支援しました）、「北伐」を本格化します。北京に迫ったので張作霖は奉天に退いて態勢を立て直そうとしたのですが、これを嫌った関東軍の一部が勝手に爆殺したのです。

これ以降、日本では軍部の一部が独走すると軍首脳と政府が追認することが相次ぎました。そうしたなかで、満州にラストエンペラーの宣統帝溥儀を担ぎ出して満州国が建国されました。

国際連盟は日本の立場にも理解を示しつつ、独立は認められないとしましたが、日本はそれでも不満だとして国際連盟を脱退しました。

しかし、満州国の国づくりはめざましく成功してしまいました。その経済建設のシナリオを書いたのが総務庁次長として仕切った商工官僚の岸信介でした。

石原莞爾らは、満州だけを確保して万里の長城を境界線にしようとしたのですが、命令違反をあえてしたのに石原らが英雄になったのを見た後輩たちは同じことを夢見たのです。超法規行動を認めるとどうしてもこういうことになってしまいます。

ルーズベルト大統領は母親の実家であるデラノ家が中国貿易で財を成した一族だったこともあり、親中的でした。しかし、このころのアメリカの世論は極端に海外での戦争に巻き込まれるのを恐れていました。現代日本の安保法制反対派の言い分に似ています。

そして、1935年には「中立法」が成立して、交戦国と大統領が指定すると、どちらにも武器や軍需品も送れないことになりました。そのために、日本に抗議しつつも、厳しい制裁はできず、日本がほどほどのところで止まってくれることを期待していました。

満州では塘沽《タンクー》協定でとりあえず国民政府と小康状態だったのですが、反日運動で日本人が襲われることも多くありました。

そして、1936年には共産軍との戦いをするように停戦に行った蔣介石が張学良に幽閉され、蔣介石は対日融和路線を維持できなくなりました。

そういうなかでルーズベルトが再選され、日本では近衛内閣が成立したのですが、盧溝橋事件（1937年）が起きました。これを機に日本軍は華北へ進出して日華事変となり、南京を陥落させました。

日本はそれで蔣介石も和平に傾くと思ったのですが、蔣介石は重慶に移って抵抗を続けました。ともかく黄河を決壊までさせての抵抗です。どれだけ犠牲者が出ても譲らないという姿勢でした。

この段階でもアメリカの世論は、ヨーロッパについても、アジアにおいても戦争に巻き込まれるのを警戒していました。

ヨーロッパでドイツがポーランドに侵入して第二次世界大戦が始まったのは、1939年9月のことです。なんとしても、ルーズベルト大統領は、一刻も早いヨーロッパ戦線での参戦を望みました。そのためには、本来、日本とは事を構えたくないはずですが、議会が戦争を始める同意を与えてくれるなら、それでもいいと割り切ったのが、ルーズベルトらしい軍事より政治優先の発想です。

そして、そのために日本を厳しく追い詰めて、日本が戦わざるを得なくして、それを梃子《てこ》にドイツやイタリアとも戦うという作戦を使いました。

1940年9月には日独伊三国同盟が結ばれました。松岡洋右外相は、これにソ連まで加盟させて四国同盟にして交渉力を高めてアメリカの参戦を阻止しようと考えたらしいのですが、机上の空論でした。

ともかく、第一次世界大戦で英仏米という先進民主主義連合国の一員だった日本が、よりにもよって、ドイツやイタリアのような異端的なきわもの国家や共産主義のソ連と組むなど狂気の沙汰でした。

そもそも、日本陸軍がドイツに習ったのは、普仏戦争に勝ったからです。第一次世界大戦の敗戦を見てドイツ崇拝を放棄すべきだったのです。

いずれにせよ、少なくとも、この三国同盟がなければ、ルーズベルトが日本との戦争をきっかけにドイツとも戦うというような作戦を立てようもなかったわけで、その意味でも大失策でした。しかも翌年には、4月に日ソ中立条約を結んだのですが、6月には独ソが開戦しました。

日本は苦し紛れで南部仏印（ベトナム南部）に進駐、10月に東条内閣が成立し、11月には最後通牒というべきハル・ノートを突きつけられて、12月8日にハワイの真珠湾を攻撃して、そのあとに宣戦布告しました。これを受けてルーズベルトは議会に日独伊への宣戦布告を要請し受諾させました。

日本がこの戦争を避けようとすればどの時点だったかというのは、なんとも難しい質問ですが、そうした点については『日本と世界がわかる最強の日本史』で詳しく論じます。

しかし、開戦の半年後にはミッドウェー海戦で日本海軍は壊滅的な打撃を受けます（1942年6月）。ドイツ軍もスターリングラードで敗れて（1943年2月）勝敗の帰趨が見えてきました。さらに、サイパン島を占領され（1944年7月）、本土爆撃が避けられなくなりました。

それでも、日本の和平への決断は遅れました。第二次世界大戦の日本軍戦死者は230万人、民間人死者は100万人ほどですが、民間人の戦死者については厳密には分からないのですが、最後の1年で3分の2以上だったことは間違いありません。

アメリカとの戦争に至る過程については、やはり、日本自身により大きな責任があると私は思います。日本が中国での権益維持拡張に欲張りすぎたのは確かですし、軍部内独走を許すようなことをしたのも日本自身の問題でした。

また、日独伊三国同盟を結んだ以上は、ルーズベルトがこの三国を一網打尽にしようとしたからといって非難もできませんし、日本に呑みやすい和平案をアメリカが出してくれなかったとしても日本から文句をいう話ではありません。

アメリカが暗号を解読して真珠湾攻撃を知っていたにもかかわらずルーズベルトがわざと攻撃を

実行させて被害を大きくして日本を非難しても、それは向こうの国内で非難されるかもしれませんが、日本側が論難することではありません。

しかし、逆にアメリカの側から見たとき、とくに、ルーズベルトが賢明だったかというとはなはだ疑問です。

84―ソ連15共和国とウクライナ問題の根源

ロシア革命が起こったのは1917年のことですが、そのあとの混乱期を経て、5年後の1922年にロシア、ウクライナ、ベラルーシ、北カフカスからなるソ連（ソビエトは評議会の意味）が成立しました。そののち、中央アジアや北カフカスの再編成を経て、1936年までにソビエト社会主義共和国連邦の形が整いました。

さらに、バルト三国など第一次世界大戦での喪失領土の多くを再併合した1940年に16共和国となりましたが、戦後の1956年にカレロ・フィンがロシア連邦内の自治共和国に降格され15共和国体制が完成します。国連創設時には、ウクライナとベラルーシも加盟国になるのですが、これは、英連邦各国の加盟の代償でした。

ソ連15共和国のほとんどは、歴史的に存在した民族集団でも、ロシア帝国に併合された旧独立国、地方自治区分でもなく、新たに人工的に創設されたものが多いのです。

バルト三国のうち、リトアニアとラトビアはバルト語族で、リトアニアはポーランドと同君連合を組んだ時期もあるなど協力関係にある大国でした。ラトビアはドイツ騎士団が入植しスウェーデンやポーランドの支配下にありました。エストニアは、フィンランド人と同系のウラル語民族でスウェーデンやデンマークに支配されていました。いずれも、ロシアがバルト海沿岸に進出して傘下に収めました。

カフカス地方のジョージア（グルジア）は、オスマン帝国とペルシャに挟まれたキリスト教王国カルトリ・カヘティアがロシアの保護を求めてきたものです。アルメニアは世界最古のキリスト教王国だがオスマン帝国支配下にありました。アゼルバイジャン人はチュルク語系でイラン北西部の少数民族だが、その居住地域のうちロシア支配下に入った部分です。

中央アジアは、もともと、モンゴル系のチャガタイ汗国やチムール帝国の版図で、主としてチュルク系の小国が割拠していたのをロシアが併合しました。それを歴史的経緯とは関係なく、ウズベキスタン、カザフスタン、キルギス、トルクメニスタン、それにペルシャ系のタジキスタンに人工的に分け、方言を元に言語を創造して成立しました。

モンゴルが侵入したとき、キエフ大公国から分かれたポロツク公国はモンゴル支配には入らず、リトアニアに従属したのちにロシアに併合されました。革命後にベラルーシが新設され、第二次世界大戦後にはポーランドからも大きな領土を奪取しました。

ウクライナのキエフ地方は、モンゴルに征服されましたが、辺境地域なので支配は弱くポーランドが勢力を伸ばしました。コサック化した人々が自治組織として半独立のヘーチマン国家を形成し、最初はポーランドに従い、ロシアに乗り換えますが、大北方戦争でスウェーデンに寝返って敗北し、エカテリーナ2世のとき自治を失いました。

ウクライナ東部はクリミア汗国、南西部はオスマン帝国の支配にありましたが、ロシアが併合してノボロシアと呼びました。これら地域をロシア革命後に、まとめてウクライナを新設し、第二次世界大戦後に西部でポーランドから領土を獲得し、1956年には、クリミアをロシアから譲渡されました。

ウクライナという国と領土は、条約で保証されたきちんとした国ですが、歴史的に見ると、普通の意味での民族的、あるいは歴史的基盤を持たない存在であるのも事実です。

第十章

国家独立・市場経済・グローバリズム

シドニーのオペラハウス（オーストラリア）

85　戦後体制の欺瞞と21世紀の課題

第二次世界大戦で勝敗のめどがついてきたころ、ルーズベルト大統領が考えていた戦後の安全保障がどんなものだったか、東西冷戦や中国の台頭というその後の戦後史を知る現代人にとっては、ほとんど信じられない夢物語でした。

ルーズベルトは、スターリンが良き連合軍の一員として、イギリスと協調してヨーロッパの民主主義と秩序を守ってくれる、また、アジアは蒋介石を応援すれば安定する、植民地はゆるやかに自立して、旧宗主国の援助も受けながら発展していくだろうと思っていたようです。

しかし、共産主義運動はプロレタリア独裁と世界革命をめざすのが譲れない基本方針だし、ロシアの伝統的な国益からスターリンが自由であることなど一度もなかったことも自明の理でした。また、蒋介石と国民党の人望のなさや毛沢東が侮れないことも新しい発見でもなかったと思います。

しかし、ルーズベルトは騙されました。アメリカという国のうぶなところともいえますし、コミンテルンの洗脳工作が行き渡っていたとも解釈できると思います。

少年時代にレッドパージなどでスパイの濡れ衣を着せられたと聞いていた人々の多くが、実は本当のスパイだったことが、ペレストロイカののち次々に明らかになりました。日本でも朝日新聞記者もからんだゾルゲ事件が、第二次世界大戦の帰趨をきめるほどの意味を持つものだったとロシア政府が認めています。

しかし、私は社会主義の役割を否定的にばかりは思っていません。戦後の世界がそこそこ公正なものになったとすれば、やはり社会主義の勝利を避けたいという圧力があったからこそだと思います。また、日本が高度経済成長で先進国入りするモデルを示したことは、世界革命の必要性を説得力のないものにしました。

そして、東西冷戦が終わったのちの世界は、ＥＵに代表される国際的な統合の推進によって普遍的な価値の追求が実現するかと思いましたが、イスラム過激派が暴れまくり、難民は発生し、多国籍企業の不正は後を絶たず、そして、中国が後進国であるまま世界のヘゲモニーの中心になりかねない状況です。

しかも、先進諸国の民主主義は、トランプ大統領の登場やイギリスのＥＵ離脱に見られるように、ポピュリズムと誤った直接民主主義で混迷を深めているのです。

86―スターリンに騙されたルーズベルト

トルーマン（在任1945〜53年）は終戦の４カ月前に、ルーズベルト大統領の死（1945年4月12日）によって大統領に昇格しました。１９４４年秋の大統領選挙で副大統領に当選し、翌年の４月には大統領に就任していました。

副大統領は、最近はけっこう活躍していますが、当時は、まったく閑職でした。なにしろ原爆を開発する「マンハッタン計画」も知らされていなかったのです。しかし、運命のいたずらは、この大学教育も受けていない地方政治家を戦後の世界を代表するリーダーの地位に就けました。

4月12日に大統領に就任し、7月のポツダム会議の途中に核実験の成功を聞いて少し強気になりました。

もう終戦は目の前でしたから、わざわざ参戦させてもソ連に分け前を渡すほどのメリットはなくなっていたのにどうして参戦を求めたか謎です。日本に天皇制の維持を確約し、原爆投下を予告し、ソ連の参戦も示唆すれば、もっと早い段階で終戦が可能だったと思います。

当時のインテリの世界にはコミンテルンのネットワークが張り巡らされており、それに踊らされたのは確かです。

アメリカは唯一の核保有国として、世界を支配できると考えていましたが、1949年8月に早くもソ連が原爆実験に成功しました。スパイによって製造方法が漏洩したのですが、その疑いでローゼンバーグ夫妻が、物的証拠がないまま死刑にされ、獄中から子供たちに送った感動的な手紙が日本でも、『愛は死をこえて』というタイトルで出版されてベストセラーになりました。

中学生くらいのころ読んで、アメリカも酷いことをすると思ったのですが、ペレストロイカによる情報公開で、容疑が真実であることが明らかになりました。

もしアメリカが、たとえば日本に対して東条内閣が倒れた（1944年7月）あたりで無条件降伏にこだわらず、国体の護持、英米派の首相任命、責任者の公職追放、議院内閣制への転換、中国での権益放棄、朝鮮の将来の独立などを条件に和平を提案したなら、戦死者は半分以下、民間人犠牲者はほとんど出ずに終わったはずです。アメリカ軍の戦死者は本当にわずかだったでしょう。

また、朝鮮半島についても、数年内に大韓帝国として独立させるのであれば、南北分断もなく、日本人の引き揚げも人材が育ってくるのを待って行えばよかったのです。

中国も、重慶政府と南京政府の合流であれば経済的にもしっかりした国になったはずで、共産化はありえなかったでしょう。汪兆銘政権への行き過ぎた敵意は、紙幣の交換でも恣意的な交換レートを設定することになり、中国経済を混乱に陥れました。

日本軍やドイツ軍も解体する必要はなかったわけで、民主化および縮小したうえで、同盟軍として活用するのでも良かったのです。そういう意味では、無条件降伏させるために、馬鹿げたコストをかけ、その結果、東ヨーロッパや中国の共産化、朝鮮半島の南北分断をまねき、双方において膨大な戦死者や民間犠牲者を出したのは正しい判断だったはずがありません。

朝鮮半島の南北分断については、日本に何の責任もありません。ソ連を参戦させたからああいうことになっただけです。また、李承晩のような時代遅れの両班《ヤンパン》の手にゆだねたことで、韓国はたいへんな苦労をすることになりました。すでに高等文官試験を通った日本の、あるいは、満州国の行政官として人材は育っていましたし、さらに数年の準備期間をおけば極めて良質な行政機構が実現していたことでしょう。

87 インドとアフリカ諸国の独立はどうして急に実現したのか

イギリスはインドで、ローマ帝国の手法を真似て徹底した分割統治をしました。教育も現地語中心だったので横の連絡が取れませんでした。上流階級のインド人は優遇して名誉イギリス人のように扱い、前近代的な藩王国の温存もしました。

インド国民会議は知識人の懐柔を図るために設けられましたが、反英勢力の中心となり、ガンジー（1869～1948年）の登場で広範な民衆の支持を集めていきました。これに対抗させるためイギリスは全インド・ムスリム連盟を発足させました。

第一次世界大戦では自治を餌に全面的な協力をさせて裏切ったので、第二次世界大戦では左派のチャンドラ・ボースが日本の援助によるインド国民軍を結成して参戦しました。ネルーらは独立を戦争協力の条件にしようとしましたが、英国はこれを受け入れなかったので、混迷したまま終戦を迎えました。

ガンジーは、グジャラート州にある小さな藩王国の宰相の子で、インド人が多く住む南アフリカで弁護士として差別撤廃闘争をしたのち、第一次世界大戦後にインドに戻りました。「非暴力による非服従」を実践し、「敵の欠陥をつくとともに、敵の長所や良心を揺さぶり出す」ことを狙い、断食で抗議をしたり、英国製の綿製品不買のために糸車で紡ぐなど上手なデモンストレーションで、イギリス人たちの良心に訴え成果を挙げました。

ネルー（在任1947～64年）は、カシミールの富裕なバラモン階級の家に生まれ、父は国民会議派の議長でした。名門ハーロー校からケンブリッジ大学トリニティ・カレッジという、これ以上ない学歴を獲得して1912年に帰国した超エリートでした。

戦後、インド国民軍参加者を裁判にかけようとしたことが反発の発火点になって秩序再建は進まず、イギリスでも独立やむなしの雰囲気が強まりました。首相が労働党のアトリーだったので、淡泊だったのです。

しかし、単一国家かどうか、地方分権をどうするかが問題となり、ネルーらは中央集権で社会主義的な国家建設を進めるために、あえて、イスラム勢力が分離を望むほうに誘導しました。こうして、西北部と東ベンガルがパキスタンとなりました。

このとき、全体の3分の1を占める藩王国では、藩王にどちらに属するかを選択させたのですが、イスラム地域であるカシミールで、藩王がヒンドゥー教徒だったためにインドを選択し、これが原因で紛争が現在に至るまで続いています。

ネルーは、バンドン会議（アジア・アフリカ会議）を成功させ、植民地の独立と自立に影響を与えました。また、議会制民主主義が一貫して続いているのもすばらしいことです。ただ、経済では、穏健な社会主義路線を取ったものの、中途半端で、ようやく成長の軌道に乗ったのは、数学が得意なインド人が力を発揮できるIT時代になってからです。

また、カースト制度の解体ができませんでした。教育制度でも中高等教育の充実を優先させたことは、明治日本が中等教育を優先しろという武士たちの抵抗を排除して、小学校を全国に普及して、国民皆教育を実現したのと好対照ですが、良い結果をもたらしませんでした。

インドの独立を認めたあとイギリスは、自立の道筋も立てずに植民地を放りだし、フランスなどもしかたなく追随しました。

独立を認めないことで、ソ連などの影響の強い独立戦線が跋扈することになったのがひとつの理由です。それに、現地の住民を差別できなくなると、コスト面でも引き合わなくなることが多いのも経済的判断としてありました。

1957年にアフリカで最初に独立を果たしたガーナでは、エンクルマが指導者でしたが、東側陣営に寄りすぎたのと、独裁で評判を落としました。むしろ、1990年代のローリングス大統領が、民主主義と経済開発の模範生として高い評価を集めました。

ケニアのケニヤッタは、独立運動の闘士でしたが、独立後は穏健な路線で評価されました。タンザニアのニエレレ大統領もアフリカ民族主義の旗手として声望がありました。旧ベルギー領コンゴのルムンバ首相は反植民地主義のシンボルでした。

フランスは、フランス本国に独立前の植民地から国会議員を送らせるなどしていました。セネガルのサンゴール大統領は、パリ高等師範《エコール・ノルマル》で学び、レジスタンスの闘士であって、ドゴールのもとで閣僚までつとめ、詩人としてアカデミー・フランセーズの会員でした。コート・ジボワールのウフエボワニは医師で、フランスの厚生大臣や国務大臣（副首相クラス）にもなりました。いずれも、高い水準の国造りに、少なくとも彼らの在任中は成功しました。

88 ― フルシチョフと劉少奇が成功してたら共産主義はどうなった

スターリン時代（在任1922〜53年）のソ連経済は、工業は飛躍的に発展したし、農業もそれなりに軌道に乗り、その成果としてソ連は、ナチスとの戦いに奇跡的な勝利を収めることができました。

その結果、バルト三国を併合し、ポーランドの東半分を切り取り、フィンランドや日本からも領土を獲得し、ポーランド、チェコスロバキア、ルーマニア、ハンガリー、東ドイツを鉄のカーテンのなかに取り込みました。また、中国の共産革命を成功させ、北朝鮮、モンゴル、北ベトナムも陣営に取り込みました。さらに発展途上国の多くを非同盟という実質ソ連シンパにしました。

しかし、社会主義のような計画経済は本質的な限界がありました。市場経済は必ず無駄を生じさせます。そして、学習して改善していく仕組みです。計画経済は、もし、目標が単純なら、そうした無駄をゼロにできるはずです。

たしかに、戦災からの復興や、核兵器や宇宙開発では計画経済は良く機能しました。また、ソ連製の武器や機械は構造が簡単なのでメンテナンスがしやすいという特徴もありました。ところが、ニーズが多様化すると、少し無駄は出ても、神の見えざる手、つまり市場機構を活用したほうが相対的にコストが安くなりニーズにも応えられるのでした。

そこで、1950年代あたりから、ソ連経済は、市場経済をある程度採り入れて自由化する必要があったし、世界革命など唱えて西側と政治的に対決して技術移転を規制されるような外交もすべきでなかったのです。

そのあたりに、気づいたのがフルシチョフであり、劉少奇です。しかし、改革は、共産党や軍の幹部にとっては既得権の喪失を伴うので徹底せず、保守的なブレジネフ政権になったり、文化大革命が起きたわけです。そして、この苦況から脱することができないまま、蟻地獄に落ちてソ連は崩壊したのです。

89 — 中華人民共和国の成立がなぜ朝鮮戦争を引き起こしたか

アジアでは、中国で1949年10月に毛沢東の共産党軍が蔣介石の国民政府を台湾に追いやって、中華人民共和国が成立しました。このとき、アメリカは積極的に国民政府を支援していませんでした。毛沢東が政権をとる可能性を過小評価し、一方、政権をとった毛沢東がそれほど反米的にならないと信じていたのです。実際、毛沢東が現実派に逐《お》われる可能性もありました。

そのころ朝鮮半島では、南の李承晩の評判は悪く、北の国づくりは順調でした。そこで、金日成は南北統一のチャンスとみて朝鮮戦争を起こしました。スターリンが金日成をけしかけたものですが、毛沢東に義勇軍派遣というかたちで支援させました。権力基盤が確立していなかった毛沢東にとっては、この戦争は政治的窮地を救うものだったのです。

このころ、日本では、マッカーサーが、アメリカの核独占でソ連は日本に行動を起こす可能性はないし、沖縄を永久確保すれば、日本内地のアメリカ軍基地は不用で、誰も攻撃しないから武力は要らないと楽天的に考えていました。

しかし、半島で戦争が起きたので、自衛隊の前身である警察予備隊をあわてて創設し、海上保安庁に機雷の掃海をさせ、警察力の中央集権化を進め、韓国では旧日本軍軍人だった韓国人を抜擢しました。さらに、中国を核攻撃したいと言い出してマッカーサーはトルーマンに解任されました。

アメリカは日米安全保障条約で米軍基地を残すこと、自衛力を充実させること、北京でなく台湾の国民政府と国交を結ぶことを講和の条件にし、日本は自衛力の強化は控えめにしかできないといいつつ、残りの条件は受けました。沖縄は蔣介石が日本帰属を容易に認めそうもなかったので、アメリカ軍政下に置くことで将来の返還に道をつけつつ先延ばしにしたのは実に賢明な判断でした。

その後、中国については、外交においても内政についても民主化、つまり、欧米的な価値を受け入れない限り承認しないという立場をとりました。結局のところ、70年代になって、ソ連と決別し、台湾の併合を強引にしない、そして、経済の自由化を進めることにめどがついたので日米両国とも中国を承認したのですが、それについては、あとで論じます。

また、韓国については、李承晩が追放され、日本の職業軍人としての教育を受けた（厳密には満州国軍人で日本の陸軍士官学校で学ぶ）朴正熙が政権をとり、日韓国交回復をして日本の協力のもとで経済建設に取り組んでから北朝鮮との差を縮め、１９８８年のソウル五輪開催のころには先進国としての水準に達することができました。

一方、北朝鮮は非同盟諸国の主要な一員として外交的成功を収め、その栄光で経済政策の失敗を隠してきました。朝鮮民族の歴史にかつてないほどの栄光は得ましたが、その代償として経済改革の機を逸してしまいました。

90 ケネディ大統領がアメリカの世界での評判を改善

第二次世界大戦ののちの平和が、半世紀以上にわたって維持されている理由として、経済の安定は何より重要です。ベルサイユ体制での過大な賠償、１９２９年の世界恐慌に際してのブロック経済化が第二次世界大戦の原因になったことを反省して、１９４４年に開催された連合国44カ国による通貨、金融に関する国際会議で、ブレトン＝ウッズ体制が発足しました。

これは、金兌換によって裏うちされたアメリカのドルを基軸とした固定為替相場制であり、それをＩＭＦ（国際通貨基金）が支え、貿易はＧＡＴＴのもとで自由化が進められました。この体制は１９７３年まで続き、戦後の世界経済発展をもたらせました。

また、1947年には、アメリカの国務長官の名を冠したマーシャル・プラン（西欧諸国復興支援計画）が始まり、ドイツやイタリアも含めた西側諸国の経済復興の原動力となり、動揺を防ぎました。

軍事的には北大西洋条約機構（NATO）が結成され、アメリカ軍も駐留を続けることにしました。西ドイツを発足させ、西ベルリンを西ドイツから切り離そうとするソ連によるベルリン封鎖（1948年）も大規模な空輸作戦で乗り切りました。

トルーマン大統領の時代に打ち出されたこうした施策は封じ込め政策といわれ、大きな成果が出ました。そののちヨーロッパは冷戦のもとで安定しました。西ベルリンは西ドイツから見ればその一部、東ドイツからすれば独立した特別の存在という呉越同舟で推移します。しかし、東ベルリンから西ベルリンに働きに出るなどは認められており、そのまま亡命する人も多かったので東ドイツでは労働力不足になり、業を煮やした東側はベルリン市内に壁を築いて完全分離してしまいました（1961年）。

東欧諸国では、ソ連の助けを得ずにナチスから独自のパルチザンの力で解放されたユーゴスラビアはソ連圏に入ることを拒否し、チトー大統領のもとで非同盟路線を貫くのに成功しました。しかし、ハンガリーが離脱しようとしたところ、ソ連は1956年に軍を差し向けハンガリー動乱が起きました。そののち、1968年には同様の事件がチェコスロバキアで起きましたが、こちらは、国民が抵抗しなかったので流血にはなりませんでした。

一方、西欧では欧州統合への動きが盛んになっていきますが、それはあとで説明します。

この時代、戦争での死者も総計で30万人ほどに留まり経済への打撃もなかったアメリカ経済は、圧倒的で、楽しい生活と人生を楽しめました。電化製品の普及が進み、フルシチョフが「資本主義の奴隷たちもなかなかいい生活をしている」と言ったのはこのころです。

また、第二次世界大戦での黒人兵の貢献もひとつのきっかけとなり人種差別の撤廃に向けてゆっくりした動きが始まりました。

とくに、1896年の「分離しても平等《セパレイト・バット・イコール》」なら良いという判決が1954年に覆されて公立学校における「人種差別的分離《セグリゲイション》」が違憲とされました。また、1955年にはアラバマ州で差別バス・ボイコット事件がありました。

スエズ動乱ではエジプトに理解を示して英仏を抑えたもののソ連への傾斜は止められず、石油を国有化したイランの革命政権を倒し、キューバなど各国で怪しげな独裁者を支援したことはイメージを損ねました。

一方、ソ連はスプートニクを成功させて宇宙開発競争でも優位に立ち、いずれ世界が社会主義化する可能性を予想する人も多かったのです。

このような閉塞状況からアメリカを救ったのが、ジョン・F・ケネディ（在任1961～63年）でした。ケネディの外交で大きな事件となったのは、キューバ危機、ベルリン封鎖、ベトナム戦争です。カストロ政権を転覆させるための試みは大失敗でしたが、ソ連のミサイル配備は強硬姿勢で阻止して面目を施しました。

ベトナムではマクナマラ国防長官らの路線で、評判の悪い独裁者を排除したうえで、コンピューターが必要とはじき出しただけの物量をつぎ込んで、ベトコンと北ベトナムに勝てるという作戦を始めましたがまったくの失敗になり、「育ちが良くて頭のいい人たち《ベスト・アンド・ブライテスト》」の大失敗として語り継がれることになります。

大成功したのは、ヨーロッパ外交で、西ベルリンを訪問したときにケネディが行った、「私も一人のベルリン市民である《イッヒ・ビン・アイン・ベルリナー》」という名演説で、これは大受けでした。ニューイングランド出身でアイルランド系のカトリックであるインテリの彼自身と、フランス系のジャクリーン夫人の組み合わせが、ヨーロッパ大陸の人々からも好ましい仲間として評価され、ヨーロッパにおける自由主義の反攻のきっかけになりました。

「ニューフロンティア」という政策は、経済成長がもたらす税収増を教育や高齢者医療、不況対策などにつぎ込む計画でした。公民権運動の高まりやキング牧師が活躍した時代にあって、ケネディも前向きの姿勢を示しました。

しかし、公民権法《シビル・ライト・アクト》などケネディ提案の多くの重要法案が議会を通過したのは、彼が暗殺された後の1964年から65年で、後任となったジョンソン大統領の政治力によるものでした。

また、アフリカなどで独立がブームとなるなかで、もし旧態依然とした姿勢を続けていたら、世界はまちがいなく社会主義に向かっていたでしょうから、人種問題についての前向きな姿勢は、たとえニクソンが大統領でもとっていたでしょう。そういう意味で、彼ならではの功績というほどではないかもしれません。

91―日本の高度成長の世界史への貢献

ケネディ大統領とほぼ同時期に日本で政権にあったのは、池田勇人（在任1960～64年）でした。占領時代にマッカーサーと、そののちは、ダレス国務長官と対峙した吉田茂は、社会主義者を後押ししたり、広範な公職追放をしたり、日本の非武装化を推進したかと思えば、憲法の制約を無視して本格的な再軍備まで迫るアメリカに冷静に対応しました。

本格的な再軍備に抵抗したのは、経済への悪影響もありますが、早期の再軍備が旧軍人の政治的復活をもたらすことを危惧したためだと私は推察しています。

その後任として首相となったのは鳩山一郎です。彼は、再軍備論者ですが、反米的色彩が強くアジアの混乱要因でしかありませんでした。そうしたなかで、岸信介は、親米路線を維持しつつ、日本が独自の国際的責任を果たすことをアメリカに提案し、日米安保条約の改正に持ち込みました。日本にとっては、そのまま、政治・軍事上のプレゼンスを強化する道もあったのですが、後任の池田勇人は、経済重視路線を打ち出しました。

つまり、アメリカが期待したようには軍事面での貢献はありませんでした。その代わり、貿易と資本の自由化を進め、「ノートリアスＭＩＴＩ」といわれることになる通商産業省（現経済産業省）による、期限付きで保護を与えて徹底した競争力強化策をとるという産業政策と、「所得倍増計画」で経済成長を実現したことは、アメリカにとって大きな経済的利益となり満足させるものでした。

そして、この池田の成功は、世界の発展途上国に、世界革命を期待しなくとも、また、社会主義路線をとらなくとも、若干の計画性を加味した混合経済路線をとることで、経済成長を実現し、先進国となることが可能であるというモデルを提示しました。

そのショーウィンドーとして、かつて日本の支配下にあって共通のソフト・ハードのインフラがある韓国や台湾の発展があり、それ以外の東南アジアの国も追随してきました。たしかに、日本の安全保障面での貢献は十分でありませんでしたが、それに余る貢献を日本は自由世界のためにしたわけです。

池田はＯＥＣＤ加盟など経済問題のために首脳外交を試み、それを「トランジスタの商人」と揶《や》揄《ゆ》されたりしましたが、その後、10年もたたないうちに世界の首脳にとって経済外交は最重点の仕事となり、池田の先見性を証明することとなりました。

そして、日本は１９６８年に西ドイツを抜いて、世界で2番目の経済大国になり、中国に抜かれる２０１０年まで42年間、2位の位置をキープしました。

しかし、日本はオイルショックで高度経済成長が止まり、バブル崩壊で経済破綻したのち不調なままです。どうしてダメなのかは、『最強の日本史１００』で詳しく解き明かします。

92—レーガンとサッチャーとゴルバチョフ

アメリカ経済はベトナム戦争などで深刻な打撃を受けました。1971年にはアメリカのニクソン大統領がドルの金兌換停止、ドルの実質的切り下げを発表し、ドル・ショックといわれました。そして、1973年から変動相場制に移行し、ブレトン・ウッズ体制は崩壊しました。

しかし、日本や西ヨーロッパ経済の復興が成功していたために、新しい時代になんとか世界経済は移行できたのでした。

一方、ベトナム戦争で敗れたアメリカでは、キッシンジャー補佐官が外交的主導権を取り戻すために、中国との和解への道筋をつけました。しかし、隠密外交で日本への配慮をしなかったことは、日本の対米不信を強め、こんどは、田中角栄がやや性急に台湾への配慮などせずに、日中国交正常化をする結果につながり、米中外交でのアメリカの立場を弱めました。

永久につづくかと思えた東西冷戦は、意外にあっさりと終焉を迎えました。その主役は、レーガン米大統領（在任1981～89年）、サッチャー英首相（在任1979～90年）、ゴルバチョフソ連大統領（最高指導者としては1985～91年）の三人でした。

もちろん、ミッテラン、コール、中曽根康弘の役割も重要ですが、象徴的な存在はこの三人だということです。

イギリスは、戦後、福祉国家路線をとりましたが、いったん採用した福祉政策や弱者の権利保護はなかなか止めたり縮小できません。また、階級社会の残滓《ざんし》も一掃できず、「英国病」が深刻でした。

その隘路《あいろ》を強気に打破したのがサッチャーでした。自助努力を促し、やや荒っぽく既存政策を切ったり、民営化や規制緩和によって活性化を図ったわけですが、予想通りの成果も弊害も生みました。

所得格差は拡大し、公教育の質は低下し、鉄道事故は増えました。イギリス経済は好転しましたが、ウィンブルドン化（主要プレイヤーは外国人という意味）して、ほとんどの重要部門が外国人の所有になりました。

サッチャーが死んだとき、「幸福になりたければ経営者（投資家）になれという哲学を打ち立て、それまでの社会的安定をぶちこわした」とＢＢＣは総括しましたが、サッチャーが極端なことをして、しかも、それなりの成果を挙げたことが、労働党の左派に反省を余儀なくさせたという功績はあったかもしれません。

外交ではフォークランド諸島をアルゼンチンが占領したのを武力で取り戻しました。しかし、それはイギリス人の国民意識を高め、欧米先進国の軍事力が張り子の虎でないことを見せつけましたが、中南米と欧米の関係を困難にしました。

ジョージ・ブッシュ（父）が、大統領候補を争っていたレーガンの経済政策について

「呪術経済政策《ブードゥー・エコノミー》」と言ったことがあります。レーガンの政策は経済も外交も、根拠がはっきりしないがもっともらしい仮説を立て、説得力ある言葉でおいしい話を語るので、多くの人がそれを信じ、そのことで本当に一定の効果が出てしまうこともあるといった類いのものでした。しかし、本当に理屈に合った話でないので限界がありました。21世紀に流行る劇場型政治家の元祖です。

私の批評は単純な悪口ではありません。歴史において思いもかけないようなブレイク・スルーは、しばしばこんなプロセスで実現してきたのですし、レーガンの奇跡は大きな足跡を残したことは認めます。ただ、副作用も大きかったのです。

外交では、アフガニスタンのタリバン、サウジアラビアのビンラディン、イラクのフセインは結果的にレーガンが育てたともいえます。ソ連やそれに同調する勢力に対抗させるために使った連中です。

また、中南米でベネズエラのチャベス大統領のような急進派指導者が多くなったのは、レーガンがピノチェトに代表される悪質な独裁者を甘やかし、グレナダ侵攻のような蛮行をした反動です。

ソ連・東欧の崩壊は、ソ連を「悪の帝国《エビル・エンパイア》」として攻撃したレーガン外交がそれを早めたのは事実です。ただ、ソ連東欧型社会主義の改革をすでに書いたようにブレジネフ時代にサボったために、根本的改革が不可避となり、膿が吹き出したときに追い打ちをかけたということだと思います。

ゴルバチョフやエリツィンはそのシナリオにのってソ連そのものも崩壊させてしまったのですが、これをもってレーガンたちがうまくやったと見るべきか、プーチンという新しいツァーリの出現の原因をつくったのかは難しいところです。少し欲張りすぎてロシア人に復讐心を抱かせたと思います。ビスマルクやメッテルニヒなら、維持不能な欲張りはせずに、勝ちすぎず自制したはずです。

93 ― イスラム教条主義とシオニズムに振り回される欧米

戦後の中東世界は、中世以来、もっとも世界の注目を集めています。オスマン帝国の末期に世界的な民族主義の波に乗って、アラブは覚醒し、トルコも排他主義になりアルメニア人を迫害したりしました。

それ以降、さまざまな思惑が入り乱れて混乱は増すばかりです。あまりにも複雑なので、経緯を年表にまとめましたが、現状を中心に地域別に解説をすることにしますが、イスラエル建国に至る経緯は、第72項目に書いた通りです。

エジプトは、王制がナセルら自由将校団の革命で倒され、穏健な社会主義路線を進めソ連に接近しました。ナイル川にアスワン・ハイ・ダムを建設するためスエズ運河を国有化して資金にあてようとし、英仏やイスラエルと第二次中東戦争を戦い勝利しました。その後、サウジの支持も得てアラブの盟主を狙い、イスラエルと第三次中東戦争を戦い6日で敗れ声望を失いました。

後任のサダトはアメリカの仲介によるキャンプ・デービッド合意でイスラエルと和解しました。サダトは小池百合子東京都知事がもっとも尊敬する政治家としている人です。

戦後中東年表

年	出来事
1948	イスラエル建国宣言
1952	エジプトでナセルらが革命
1956	スエズ運河国有化と第二次中東戦争
1964	パレスチナ解放機構（PLO）の設立
1967	第三次中東戦争でイスラエル勝利
1969	アラファト、PKO議長就任
1973	第四次中東戦争とオイルショック
1975	レバノン内戦
1978	キャンプ・デービッド合意
1979	イラン革命とソ連アフガン侵攻
1980	イラン・イラク戦争
1981	サダト・エジプト大統領暗殺
1990	イラクによるクウェート侵攻
1991	イラクのクウェート併合と湾岸戦争
1993	オスロ合意（イスラエル・PLO）
1996	アラファトが自治政府議長に就任
2001	米国で同時多発テロ発生
2003	イラク戦争でフセイン倒される
2010	アラブの春（〜2012）
2011	ビン・ラディン殺害
2014	ISIL（イスラム国）建国
2015	イラン核協議合意・パリでISテロ

　また、イスラエルはオスロ合意でＰＬＯ（パレスチナ解放機構）とパレスチナにおける暫定政府の樹立に合意し、パレスチナ国家の建設に道をつけました。しかし、右派政権は、パレスチナに引き渡されるべきヨルダン川左岸に入植者を送り込み、ガザ地区では残虐な反対派の弾圧を続けています。

　アメリカはイスラエルを支持し、石油確保のために、中世的な宗教国家であるサウジの王制派などに肩入れしてきました。その間隙を縫って、過激派が力を伸ばしエジプトではムスリム同胞団が自由選挙で勝利したこともあります。また、アルカイーダやＩＳＩＬ（イスラム国）のような武闘派も力を伸ばしました。

いずれにせよ、イスラエル国家が存在し続ける限り、中東の平穏は、それこそラクダが針の穴をくぐり抜けるほど難しいでしょう。

イラクでは比較的近代的で世俗的な左翼政党であるバース党が政権にありました。フセインが独裁者になって、人気取りのためにイラン・イラク戦争を行いアメリカの支援を受けましたが、クウェート侵攻を行い、湾岸戦争、ついで大量破壊兵器隠匿という難癖をつけてのイラク戦争で敗れて裁判にかけられて処刑されました。その後は、自由選挙をするとシーア派が勝ち、それをアメリカが支援するという奇妙な形です。

アメリカの最大の失敗は、フセインはともかくバース党関係者を広汎に追放したことです。戦後日本では局長クラスまでは追放されましたが、中堅幹部は残ったからこそ復興ができたのです。その点を、小泉政権はしっかり日本の経験をアドバイスするべきだったと思います。もっとも血を流さずに説教がましいことをいうのは難しいことですが。

サウジアラビアの王室は、スンニー派のなかのワッハーブ派という教条主義的会派を信仰しています。初代イブン・サウド国王の男子が6人つづけて王座にありますが、現在のサルマーン国王が最後で、次代からは第3世代に移ります。教条主義的で中世的なのは、女性差別、鞭打ち刑などに象徴され、過激派の揺籃となっている社会を擁護する王室をアメリカが石油確保のために支えているという構造は大きな矛盾をはらんでいます。

最近では聖地に新幹線が開通しましたし、ムハンマド・ビン・サルマーン皇太子兼首相が強引に近代化を進める一方、在トルコ総領事館でのジャーナリスト暗殺疑惑なども含む強権政治を展開し、さらに、中国やロシアに接近するなど欧米としても評価に困惑する事態が生じてます。

シリアでは1970年からバース党系のアサド一家が権力を握っています。アラウィー派というシーア派に近接した宗派に属しイランとの関係が密接で、パレスチナのハマスやレバノン（キリスト教とイスラムが拮抗《きっこう》）のヒズボラと関係が深いので、アメリカ、フランス、イスラエルからは嫌われています。内戦により、アサド政権、アルカイダ系の過激派を含むスンニー派、ISIL（イスラム国）が入り乱れ、さらに、クルド人も多く、膨大な難民を送り出しています。

トルコではケマル・パシャによる革命以来、世俗主義政党が政権を握ってきましたが、現在のエルドゥアン大統領は穏健イスラム教政党に属しています。優れた政治能力を発揮していますが、強権的に過ぎると批判が高まっています。欧米にとっては頼りになる存在ですがクルド人問題での強硬ぶりでは一致していません。スウェーデンのNATO加盟の条件として、難民の引き渡しを要求したりもしています。

クルド人はトルコ、シリア、イラク、イランの国境地帯に住む人種で十字軍時代のサラディンも属していました。ただ、一度も国をもったことのない気の毒な民族で、欧米も各国が独立運動を弾圧することは支持していますが、独立には反対しています。

「アラブの春」は2010年から、チュニジア、リビア、エジプトで独裁者が追放されるなどした事件をいいます。カダフィ大佐を追放したリビアは政府不在に近い混乱状態です。エジプトでは選挙でムスリム同胞団という過激派が政権に就き、軍部がクーデターを起こしシーシー元帥による軍事政権に戻り、強権政治でそれなりに安定しています。

チュニジアだけは民主主義が存続していましたが、これも大統領が専制主義に傾き大混乱に陥りつつあります。

アフガニスタンでは、親ソ連派政権を排除した過激派タリバンが政権をとり、それを欧米が追い出したものの、結局は、２０２１年に欧米は撤退し、中国と友好関係にあるタリバンが政権に復帰し女性教育を否定するなどひどいものです。

イランでは、アケメネス朝ペルシャを継承すると称して欧米化を進めたパーレビ国王がイスラム革命で失脚してからシーア派教条主義の神権政治になっています。アメリカ大使館襲撃事件で外交官保護の条約を無視したことから、アメリカとは絶縁状態にあり、また、シリアなどのシーア派や北朝鮮などとの関係でも対立しました。なんとか安保理事会の常任理事国とドイツ、イランで「イラン核合意」を結んだのですが、トランプ政権が離脱してしまい、バイデン政権になってもその後始末がうまくいきません。さらに、そのイランとサウジアラビアの和解を中国が仲介して大騒ぎです。

このように各国の状況が入り乱れて解決の糸口が見えないのですが、そもそも、シオニズムという根本的に無理がある運動を欧米が支援し、また、石油欲しさにイスラム教条主義に対して、欧米が甘すぎたのが諸悪の根源のように見えます。キリスト教も含めてほかの宗教が要求したら人権侵害とか反民主的と糾弾されることをイスラム教だけに容認するのは合理性がありません。

いずれにせよ、20世紀の戦争はもっぱらといってよいほど化石燃料の取り合いが原因です。その意味では、原発よりよほど危険で関連コストも高いのでないかと私は思います。

94─欧州統合とブレクジットの歴史を整理したら

21世紀の世界が、それまでの数世紀の世界と違うのは、1648年のウェストファリア条約で規定され、市民革命で中身を与えられた、国家と個人の二元論で説明できる世界とは別の流れが進んでいくということでしょう。

その流れに強い抵抗はありますが、方向は変化しないと思います。ただし、過渡期において生じる問題に甘い対応をすると厄介な問題が生じ、大きな流れは変わらないにせよ、遅れが生じてくるでしょう。

たとえば、グローバリズムといっても、企業の活動を個別主権国家の統制に服させないというなら、それに代わる地域政府や国際機関の統制は必要ですし、制度統一も必要です。グーグルやアップルに代表されるような企業が、税をダンピングして企業を誘致しているところに会社を置いて、ごくわずかの税しか払わないのは困りますし、個人が多重国籍などを通じて権利と義務のいいとこ取りをするのを許す合理性はなにもありません。

現代の世界では、たとえば、憲法における人権規定はもはやかつてほど重要でありません。なぜなら、ほとんどの条項は国際的な人権についての条約で担保されているからです。日本の憲法の人権規定で特別に意味があるのは、国際的には普遍的原則と認められていない宗教への公費支出の禁止くらいです。

かつて米価決定の季節になると農協の人たちが永田町や霞ヶ関に圧力をかけましたが、いまや農業政策はWTOで枠がはめられていますから、ジュネーブに行かないと目的は達することができません。

首脳会談も、新しい習慣です。ドゴール仏大統領とアデナウアー西独首相による頻繁な会談が制度化され、仏独首脳はほとんど毎月のように会談しています。それがもとになって、1975年から欧州サミットと先進国首脳会談がフランスのジスカールデスタン大統領の提案で始められたのです。

ヨーロッパ統合の原点は、仏独が二度と戦わないようにしようという思いです。第二次世界大戦が終わったとき、フランスとドイツでは、1世紀のうちに普仏戦争と2回の世界大戦で3回も戦ったという反省があり、二度と戦わないために、ヨーロッパ統合が提唱されたのです。

最初の成果はECSC（欧州石炭鉄鋼共同体）で、1958年には、ヨーロッパ経済共同体（EEC、のちにEC）などが創立されました。そして、1991年のマーストリヒト条約に基づきEU（ヨーロッパ連合）が発足したのは、その帰結でした。

すべての加盟国が参加しているわけでありませんが、統一通貨ユーロが導入され、シェンゲン協定で移動も国境コントロールなしでできるようになりました。

１９９０年代に劇的に欧州統合が実現したのは、１９８５年、ジャック・ドロールがＥＣの委員長に就任してからです。フランス銀行に勤務し、ポンピドー大統領時代にドゴール左派のシャバンデルマス首相のブレーンとして活躍したあと社会党に転じミッテラン大統領のもとで蔵相を務めました。欧州統合は、この堅牢な理想主義者なくしては無理だったでしょう。

ただ、ＥＵはその出発点から全員一致主義という厄介な制約がありました。そこで、新しい制度を少々の弱点があっても、とりあえず発足だけさせる。そして、実際に運用がうまくいかないとなってから、事後的に反対していた国に圧力をかけて改善し、全員一致主義も少しずつ解消するようなことをしてきました。

そのおかげで、ユーロ危機も、たとえば、ギリシャがわがままを言っても最後は呑まざるを得ないという前例を重ねて乗り切りました。

イギリスのＥＵ離脱（ブレクジット）は、ハプニングから起きました。キャメロン首相が反ＥＵ運動に終止符を打たせるために、国民投票の実施を２０１３年の総選挙で公約しました。ところが、２０１６年の国民投票で大方の予想に反して可決されてしまい、２０２０年2月1日（欧州時間）には発効しました。それから3年たっての英国での世論調査をみると、何もいいことはなかったというのが世論の大勢です。

一方、ＥＵ側からみれば、ＥＵ内での意思決定はトラブルメーカーのイギリス抜きのほうが楽ですから、ＥＵ統合を深化させるために良かったと思います。

95―移民と難民になぜ欧米は甘いのか

統合ヨーロッパがさまざまな分野で、人類にとって前向きな方向付けをしていることを私は評価していますが、移民や難民問題については、明らかに対応を誤ったと思います。そもそも、圧政が行われていることだけを理由に難民になれるなら、自国を改革する努力などせずに、逃げ出すほうに流れるのは当たり前です。母国の豊かな生活を捨てて経済的には損でも自由を求めてというなら保護したいですが、難民になったほうが豊かになれるのでは、みんな喜んで難民になるのが当たり前です。

かつての東欧からの政治亡命者などは、その若い労働力の流出が社会主義国の経済に打撃を与え、体制変革を促す意味がありましたが、現在の難民は逃げられた側にとって厄介者にしかなりません。結局、欧米はソ連・東欧に勝った成功体験から抜け出せないのです。

ヨーロッパは、環境、普遍的な人権、ジェンダー、ＬＧＢＴ、情報公開、参加、障害者の保護など、ほとんどあらゆる新しい現代的な課題に関して、世界を引っ張ってきました。しかし、難民問題については、少し道を間違ったようです。

その根源はやはりドイツです。ドイツ経済界が安い労働力を求めてEU加盟国の急速な拡大や難民を歓迎しているのですが、ドイツにとっても本当に良いことかも分かりませんし、欧州全体にとってはなおさらです。同様の問題はアメリカでも起きています。アメリカで移民を歓迎するのは、大都市の住民、とくにインテリ層です。大都市の先端産業で働く人々は高い収入を得ます。

しかし、大都会ではその生活を支える人たちの生活コストも高いので労働者の賃金は高くなり、それを求めて、地方から人口が流入して地方に仕送りをしたり、逆に先端産業が生活コストが安い地方に分散したりしてバランスが取れます。

ところが、移民が増えると、低い生活水準でも我慢しますから、大都市でも安い単純労働力が得られます。もちろん、地方の農業や鉱工業が隆盛していて地方も労働力不足というなら外国から移民が来ても地方の人に不利ではありませんが、いまのアメリカでは、ラストベルトという言葉があるように、伝統的な工業は衰え、農業所得は伸びず、失業が増えたりプアホワイトといわれる貧困層が増加しています。おまけに、エネルギー産業も大都市のリベラルな人たちが環境問題の観点から目の敵《かたき》にされていますから、地方は踏んだり蹴ったりです。

つまり移民の増加が、都会の高所得層をますます豊かにし、地方の貧困層をますます貧しくさせているのです。さらに、移民に民主党が好意的なのには、移民が帰化すると民主党を支持する割合が高いということです。

私は社会全体にとって理に適《かな》い、また、送り出し国、受け入れ国のどちらも豊かになれるようにスピードと内容を調整するなら、移民も難民受け入れも反対でないし、日本など少子化対策だけでは人口減少を補うのは難しいので、もう少し積極的に移民・難民受け入れをしてよいと思います。

しかし、押しかけてこられたら、送り返すのは人道的でない気がするので受け入れてしまうというのは間違いだと思います。危険な船旅や国境突破をして域内に入ったら受け入れるなどというルールは誰のためにもなりません。

また、アジアでは、移民や難民を通じての、華人による国や地域の乗っ取りが現実の脅威なのです。なにしろ、周辺国と人口の桁が違います。人口が3分の1のメキシコ人がアメリカに押し寄せるのと、人口が10倍の中国から日本に来るのとではインパクトが違うのです。

イギリスで議論されているような、不法入国を試みたら二度と合法入国は認めない、難民審査はウガンダへ送り出してそこでするとか、アメリカが抽選によるグリーンカード付与という抜け道を小さくつくることで、特別の技能がなくても合法的に移民できる可能性を封じないようにしているのもなかなか賢明なやり方です。ともかく、硬軟取り混ぜないとうまくいきません。

また、国籍制度は国際的な条約で統一性を高め、国籍は単一だが、特殊な事情がある人にとって不都合な事態が生じないような制度創設や運用のルールを決めるのが正しいと思います。参政権を二重に行使したり、パスポートを紐付けのないまま二重に行使できるのはアンフェアであって認めるべき多様性の一環でもなんでもありません。

ただ、ドイツは移民は受け入れるが、移民の「ドイツ化」はかなりしっかりやっており、そこがフランスやイギリスは少し甘かったように思います。

96―リベラルと保守の両極化の原因と結果

20世紀の終盤、ヨーロッパ政治の世界では、イギリス労働党、フランス社会党、ドイツ社民党といったところが穏健化し、第三の道といわれるリベラル社会主義の流れが優勢になりました。イタリアではもともとソ連東欧型から距離を置いていた共産党が消滅し民主党に合流しました。一方、保守派もイギリス保守党ですらサッチャー引退後は穏健化しました。ドイツのメルケルも環境問題などでリベラル化しました。

つまり、中道左派と中道右派が二大政党になったのです。日本で社会党から民主党に野党第一党が交替したのもその一環です。

ところが、このことで左翼・右翼の傾向がはっきりした人たちが二大政党のいずれにも幻滅し、結果、極左、極右政党の台頭を許すことになっていきました。さらに、地域政党とか環境派のような単一問題政党が台頭すると二大政党制はますます成り立たなくなります。

フランスでは国民戦線《フロン・ナショナル》（現国民連合・RN）が保守政党の中道化の間隙を縫って政治勢力として確固たる地位を占めるようになりました。スペインでは比例代表制のために、極左のポデモスや極右的な色彩もある市民党、地域政党、単一問題政党の台頭で、なんど総選挙をやり直しても首班指名ができないこともありました。イタリアでは、左派ポピュリストの五つ星、ネオファシスト系のイタリアの同胞、政治家抜きの政権が次々と登場しひどいものです。

イギリスでは、保守党を独立党が侵食し、それに危機感をもったジョンソンらがポピュリスト的な主張に乗り、労働党では極左的なコービンの支持勢力が組織的に党員登録をして党を乗っ取りました。その結果が信じられないEUからの脱退決定でした。

アメリカでは、クリントン大統領（在任1993〜2001年）の時代、伝統的な民主党の保護主義に反して経済の自由化を進めて経済成長を実現し、その一方で、中産階級の育成やマイノリティの権利拡大につとめ、黒人やヒスパニックや女性に歓迎されました。

世界的な左右の対立激化をもたらしているのが、国民投票、住民投票、一般党員投票といった直接民主主義の誤った使い方です。

民主主義では、国民の意思をどこかで反映することが必要ですし、二大政党制の場合には、それぞれが多数を占めるために中道派的な公約を掲げて、穏当な政策に収束します。アメリカの大統領選挙で予備選挙を行う州が少なかった時代には、党大会で政党幹部が幅広い支持を受けそうな中道的候補を選んでいました。

ところが、ほとんどの州で予備選挙で候補を選ぶようになると、共和党では保守派、民主党ではリベラル派の極端な候補が有利になります。党員登録するような人は、どうしても中道派的な人より政治主張がはっきりした人のほうが多いし、さらに、過半数でなく単純多数で良いとなると、各州で3割の支持があれば十分ですからなおさらです。

その結果が、2016年の大統領選挙でサンダースのような極端な主張をする候補が有力になったり、トランプが大統領選挙で勝利した理由です。

また、政権や政党の政策は、本来、さまざまな考え方や地域の人々、また、理想と現実の妥協の産物であるべきです。ところが、単一問題について、一つひとつ、賛否を問うとそのような総合的な思考ができなくなります。そして、大多数の人にとっては関心がないが少数集団にとっては死活的に大事だとか、大衆的な人気はないが長期的観点から必要性が高いといった政策が否定されたり、両立不能な政策がそれぞれ採択されたりします。

私は直接民主主義を加味するのは賛成ですが、それは、議会などがどっちの選択でも責任がもてるというときに限る、あるいは、過半数よりかなり高い支持を必要とするような工夫が必要だと思っています。

97 ― 後進国のままの中国が主導する世界は闇だ

現在の世界にとって悩ましい問題は、さしあたってはイスラム過激派であり、ロシアや北朝鮮のようなならずもの国際法無視ですが、より長期的には中国の台頭です。

中国の共産党政府は、1970年代終わりに文化大革命の混乱を収束させ、改革開放経済に移行してから、基本的にはよく頑張ったと思います。そして、その過程において、日本はおおいに助けたと思います。

毛沢東派との権力闘争に勝って最高権力を掌握した鄧小平は、1978年に日中平和友好条約の批准書交換のため来日しましたが、このとき、自民党幹事長だった大平正芳に問われて、はじめて、改革開放の理念を語ったといいます。それに対して、大平は傾斜生産方式を始め、所得倍増計画、貿易や資本の自由化など戦後経済政策の歩みを語り、適切な順序で手だてを講じれば、20年間でGDPを4倍にすることも可能だろうといいました。それを聞いた鄧小平はようやく確信を持って本格的な改革開放路線に邁進できたのです。

その後、鄧小平のもとで実務を担った胡耀邦は根回し不足で先走り失敗、趙紫陽は学生らを鄧小平からの奪権闘争に利用しようとして「天安門事件」を扇動し追放されました。しかし、硬軟のバランスの取れた江沢民主席の下でストイックな朱鎔基が首相として見事な経済運営を展開して中国経済を軌道に乗せました。

ところが、ドロールなきEU統合が混迷しているように、朱鎔基なき改革開放は胡錦濤の時代に漂流しはじめました。とくに、指導部が安い給与にもかかわらず贅沢な生活をし、子弟を海外に留学させたり、事業を展開させていたのは論外です。

とくに、中国では日本と違い、権力があるうちに最大限に利益を享受しないと損だと考える伝統があり、しかも、その不当利得の金額が国庫や国民経済を傾けるほどになっても平気です。また、権力維持のために、指導部は反対派の長老を黙らせようと、その家族に利権を与えるのがいちばん簡単と割り切っていました。

習近平はこの状況の悲劇的な結末を意識し、綱紀粛正に乗り出しており、それは正しい判断だと思います。しかし、その代わりに、国民の支持をつなぎ止めるために、超大国としての栄光とか、領土拡張、言論弾圧に走り出しました。

中国では過去にも漢の武帝、明の永楽帝、清の乾隆帝のように、王朝が始まって数十年したあたりで、急に膨張主義になって国威発揚による国民の不満そらしを試みた皇帝がいましたが、それに似ているともいえます。あるいは、大日本帝国が大東亜共栄圏とかいって西太平洋と東アジアを自分の勢力圏だと言い出したのと、「一帯一路」政策は非常に似ています。

「歴史に学べ、戦前の日本を反省しろ」と中国はいいますが、戦前日本の失敗から鏡を見るように教訓を得るべきなのは、習近平の中国だと思います。

ともかく、中国は政治・経済・社会・文化などいずれをとっても、まだまだ巨大な開発途上国にすぎません。もし、21世紀が後進文明国のヘゲモニーのもとに置かれるなら、人類にとってこのうえない不幸はないのです。

すでに第76項目で書いたように、中国の領土は、「満漢蒙回蔵」の連合帝国だった清国の領土を国家として継承することによって成立したものです。現在は56民族といってますが、それは五民族を細分化しただけです。ウイグルやチベットを中国が「侵略」したのかというと、「国際法上は問題ない」が、「民族自決原則からみると不自然な状態」と言うのが正しいと思います。

チベット族の宗教指導者ダライ・ラマは中国の支配から脱しようとしたが失敗してインドに亡命中。ウイグルもソ連と連動して独立を図ったが中国で産党政府が成立したので裏切られ、いま強引な同化政策が問題になっています。

教育や社会習慣を漢民族化することは、経済政策としてはメリットはあるし、教育においては受験などで少数民族が不利であることを避けるメリットもあります。日本もそういう論理のもとで朝鮮で同化政策を進めたのです。

しかし、それは少数民族内において広いコンセンサスがあるのが前提ですし、ウイグルやチベットにおいてそれがあるようには見えないし、言論の自由や民主主義が確立していないので、それを正当化しようがありません。

台湾については、国民党政権を武力で圧倒した共産党政権が領土のほとんどを支配し、台湾のみが国民党政権のもとに残った形で事実上、二つの国家に近いものが成立し、台北の政権が1971年までは、国際社会において中国を代表していたが、現在は北京の政権が代表しているという特殊な状態にあります。

しかも、台北の政権は、現在は台湾の独立ないし自立を主張し、中国の一部であるとの立場をとっていません。

日本やアメリカは、台北の政権が中国の唯一の合法政権であるという立場にあるときに、政権交代や唯一の中国原則を認めたわけですから、台湾の人々が自立を求めるというなら、新しい状況です。いちども北京の政権の支配下に入ったことがない地域が吸収されるより自立したいといっているのですから、単なる独立運動とも違います。

つまり、従来の国際紛争でも類例のない状態なのです。だとすれば、従来の国際法では解がないのですから、近い将来において戦争などをすることなく安定させるためには、特殊な地位を考案して、北京と台北、そして関係国や国連が条約で担保するしかないように思います。

香港については、1997年に成立した一国二制度があと半世紀したら終わって完全併合できるのに、なぜ、北京が「中国化」を急ぐのか理解出来ませんし、一方、イギリスの支配のもとで、英国の市民権を与えられていたわけでも、完全な自治を認められていたわけでもない香港が中国に対しては民主主義を要求することに違和感もあります。

98―ウクライナ紛争はロシアが悪いが欧米の危険な外交にも責任がある

ウクライナ紛争において、2022年2月24日からのロシアの侵攻が、国際法違反で一方的に非があることは明白です。しかし、経緯をみると、欧米はロシアを追い込みすぎて危険なゲームをしてきたし、紛争開始後の対応も賢明とは言いがたく、悲惨な戦争被害を生じさせ、世界経済に無用な被害を与えていることが、ロシアだけの責任とはいえないと思います。

ソ連の完全解体は、15共和国のひとつであるロシア共和国大統領のエリツィンがウクライナ、ベラルーシの指導者と語らってゴルバチョフのソ連から独立した結果です。このとき、核兵器はロシア、ウクライナ、ベラルーシ、カザフスタンに分散していましたが、核拡散を恐れた欧米の後押しもあり、ロシアに集約する代わりに各国の領土不可侵を約束するブダペスト合意が成立しました。

エリツィンもウクライナの指導者を、経済も社会もとんでもない無秩序状態にしてしまい、マフィアとかオリガルヒ（新興財閥）が跋扈しました。その悲惨な混乱のなかから、ロシアではKGB出身のプーチン大統領という強力な指導者が現れて、軍事的にも経済的にもめざましい再建に成功しました。

ウクライナでは腐敗した政府が政争を繰り返し、独立時にはロシアより多かった一人あたりGDPは3分の1になり5200万人の人口は4000万人になりました。この状況を打開するために、ウクライナはNATOやEUに加盟を夢見たわけです。

しかし、ソ連解体のときに東欧諸国がNATO入りするとは誰も想像しなかったし、米国はロシアにも不拡大の口約束していました。また、EUの拡大もウクライナにまで及ぶとは想定外でした。仏独などは、ロシアを追い詰めないためにも、自分たちの経済にお荷物を抱え込まないためにも、問題の多い人口大国であるウクライナがNATOやEUに加盟することは嫌っていましたが、イギリスやアメリカの対露強硬派はそれを画策しました。

ウクライナでは2004年のオレンジ革命と2013年のユーロマイダン革命で反ロシア派が主

導権を取り、ロシア系住民への圧迫も強化されたし、ロシアによるクリミア半島の軍港使用の将来にも不安が高まりました。

そうした背景で起きた、2014年のロシアによるクリミア併合と東部一部地域の分離化は国際法違反ですが、住民の圧倒的支持があったので、ミンスク合意でウクライナも仏独も事実上現状凍結を黙認せざるを得ませんでした。それを誠実に守らなかったことがロシアの侵攻に口実を与えました（ロシアも誠実に守っていたわけではありません）。

欧米は、ロシアとヨーロッパの将来の関係について、ビジョンが欠如していると思います。もし、将来はロシアも加盟とか準加盟させるとか同盟関係を結ぶというならそれはそれで完結した構想です。しかし、G7にロシアの参加を1993年から部分的に、2003年からは完全に認めてG8にしておきながら、それ以上になんのビジョンもありませんでした。加えて、今回の戦争についても、欧米がロシアを将来どうしたいのか、さっぱり理解できません。

安倍晋三元首相は、中国に対抗するために、「普遍的価値（自由、民主主義、基本的人権、法の支配、市場経済）に基づく外交」を提唱し、「自由で開かれたインド太平洋」という構想を実現し、とくにインドを仲間に引き入れました。インドはロシアと密接な関係にあることは承知の上で、誘ったわけですし、安倍首相が27度もプーチン大統領と会談したのも、中国とロシアが接近することを防ぐためでしたから、すべて水の泡ともいえます。

ヨーロッパにとっては、ウクライナがロシアと自分たちのあいだにありますから、ウクライナを取り込んだから、緩衝地帯になるというメリットがあります。また、現在のように自分たちは安全なところにいて、代わりに戦ってくれるのなら好都合ともいえます。

ロシア人とウクライナ人という、もともとルーシ人という同じ民族だった人たちが殺し合いをして、疲弊することが、欧米にとっての目的なら見事な作戦ですが、まさかそんなことではないと信じたいところです。そして、そんな役回りを台湾の人がアメリカのためにしようとは思いませんから、ウクライナの英雄的抵抗が台湾問題を良い方向に導くことはないと思います。

弱体化して国際社会から排除されたロシアが核兵力と復讐心を保持しながら、中国の衛星国になるのは、ありそうなシナリオですが、それは日本にとって悪夢です。

一方、日本にとっては、ウクライナとの関係は直接にはほとんどありません。シベリア抑留や北方領土占拠の恨みがロシアにあるからウクライナの味方をしたいという人もいますが、ソ連の構成国としてロシアとウクライナは同じ立場ですし、それどころか、フルシチョフやブレジネフといった指導者はウクライナ人だし、ゴルバチョフも母親と夫人がウクライナ系です。ウクライナ人は一貫してソ連の政治のなかで主流派でした。

北方領土の住民のうち、ウクライナ人は4割をしめてロシア人より多いのですし、独立後は中国に空母を売ったり、北朝鮮のミサイル開発に技術を流出させたのもウクライナです。

私は、日本は欧米との協調は大事ですが、もう少し和平に傾いた姿勢であるほうがいいと思いますし、経済制裁については日本自身やアジアの利益をもっと主張すべきだと思います。

99―欧米流の正義は人命軽視が酷すぎないか

　ウクライナ紛争で、プーチンを排除しようと盛り上がっている人も多いのですが、強い指導者を排除しようという試みは、だいたい、良い結果をもたらしません。北朝鮮が核武装に走って抜き差しならない状況になっている主要な原因は、リビアのカダフィ大佐の殺害にあります。2002年に小泉首相は訪朝して、「大量破壊兵器を放棄して欧米から体制の保証を得たカダフィを見ならえ」と金正日を説得したほどです。

　ところが、キャメロン（英国）、サルコジ（フランス）、オバマは2011年のアラブの春に乗じてカダフィ政権転覆を謀《はか》り、国際刑事裁判所で裁くと脅し、最後は直接、戦闘機を出して攻撃して彼を追い詰め、反政府派に殺させたのです。

　これで、北朝鮮の指導部に核の放棄と体制変革などを納得させるのは難しくなりました。それでも、トランプが安倍首相の助力を得て、金正恩の説得を試みていい線までいったのですが、政権が代わったら掌返しでは容易に乗れるものではありません。

　人道への罪には時効がないとか、どこの国でも逮捕できるとかいうのも、行きすぎると国際紛争を収められなくなります。世界の指導者で誰よりも危ない橋を渡っているのは、イスラエルとアメリカですから、国際刑事裁判所（ＩＣＣ）の条約には加盟していませんし、それでもイスラエルやアメリカの元指導者は引退後も海外を旅行するのはリスクがあります。

アフリカや東欧の独裁政権の指導者にはそれなりに有効ですが、プーチンやネタニエフや金正恩に使うのに有効とは思いません。

やっかいな紛争を収めるためには、指導者の過去を水に流すしかないことは多いわけで、イギリスですら、北アイルランド問題解決のためのベルファスト合意でＩＲＡのテロリストたちを赦免しました。彼らは北アイルランド政府の幹部になっていますが、それを後悔しているイギリス人は少数派です。

その一方、アラブの春で誕生した「民主政権」は、どれひとつとして機能せず、地域に混乱をもたらしただけですし、アフガニスタンでも欧米は撤兵し、タリバンが政権に復帰しました。

国際法の遵守が大事なことは言うまでもないですが、それだけで平和など保てません。なんでも弁護士を立てて法廷で争い、裁判に勝ったら１００パーセントの正義があると思う傾向がアングロサクソンにはあります。正当防衛であるなら、過剰防衛も広く認められます。相手を挑発しても先に手を出させたらすべて正義なのです。アメリカの裁判では誤審で死刑にしてしまったなどというのもよくありますが、手続きをきちんと踏んでいたら仕方ないと彼らは考えます。

慰安婦問題で、日本人は駐留軍だって日本でよく似たことをしたのにと思うのですが、彼らは米軍が関与していないといえるように注意深く行動しており、日本軍は脇が甘かったのです。現実論としては、アングロサクソンと付き合うときは、つねに弁護士に相談しながら、というくらいの気持ちが大事ですが、アメリカなどが弁護士的な論理を過度に振りかざすのは、世界の将来にとってかなり危険だと思います。

それから、国際法秩序に基づく支配を強化しようということには、もうひとつ、落とし穴があります。いまは、国際法の世界は欧米支配です。しかし、多くの国際機関が中国やその息がかかった国によって牛耳られるようになっています。国際司法裁判所など国際法を運用する機関においても、そうなっていくだろうと思います。その可能性を無視して、この問題を論じるのは危険です。

経済制裁もつねに期待が大きすぎるし、制裁した側の打撃も大きいのです。一見、平和的にみえるので、なにかといえば経済制裁ですが、北朝鮮のように資源も食料もない国でもあれだけ長く経済制裁をしてもへこたれないし、しわ寄せは指導者層より一般庶民にいっており、餓死者続出は誇張でも、栄養不良で寿命を縮めているのは間違いないのです。

ロシアのような食料とエネルギーの輸出国に経済制裁をしたら、経済制裁したほうのダメージが大きくなります。実際、資源の高騰でロシアは大儲けしているし、中国やインドのように制裁に加わらない国は安く購入できて万々歳なのに対して、日本などにとっては打撃が深刻です。

もうひとつ、私が最近、アメリカのやり方に疑問を持っているのは、アメリカの戦争が、自分たちの側の犠牲に比べて相手側の犠牲を多く出しすぎることです。太平洋戦争での米軍の戦死者は10万人ほどで民間人犠牲者は極小で、日本は二百数十万人の戦死者に、100万人ほどの民間人死者を出しています。イラクでは米軍死者が5000人でイラク人は数十万人死んでます。

だいたいアメリカの戦争は、道義的にはもっともなことが多いし、国際法的には問題が起きないように考えています。だからといって、相手方の死者がいくら多くてもいい、相手方の呑めない和平案に固執して戦争を続けるのが正しいとは思いません。

100―グローバル化、IT化、LGBT容認、地球環境問題など21世紀の価値について

21世紀における世界の変化は、人類が歴史上、経験したもっとも大きなものかもしれません。ただし、私は世界史における20世紀は、1914年の第一次世界大戦の開戦や1917年のロシア革命で始まり、1990年のドイツ統合、1991年のソ連崩壊、1992年のマーストリヒト条約といったところで終わって、そこからが21世紀だと考えてます。

人類史における21世紀は、地域統合やグローバリゼーションで国家と個人との関係が主題だったウェストファリア体制が終わったことにひとつの特徴があります。

グローバリゼーションというと、アメリカの好き勝手が許されることだと勘違いして毛嫌いする人がいますが、本来は、欧州統合のように文明国が普遍的な価値を公平に実現するものです。逆に、国際化が進むなかで、国際社会が制度的統合に向かって着実に進んでいかないと、アメリカン・スタンダードに世界が支配される形での変則的なグローバリゼーションが進んでしまいます。

グローバリゼーションの負の側面として顕著なのが、貧富の差の拡大です。GAFAなどの世界

的企業が、公的な規制を受けないまま社会秩序をつくり、税金もきちんと納めなくなっています。

２０１９年６月に福岡市で開催されたG20で、巨大ＩＴ企業の税逃れを防ぐために、「デジタル課税」の国際的な統一ルールを設ける方針が経済開発協力機構（ＯＥＣＤ）によって採択されたのは、画期的なことで、安倍首相と麻生財務相のコンビの大きな功績の一つです。

個人についても、富裕層の税金を高くすればいいというのは簡単ですが、所得税や法人税を高くすると中の上とか上の下といったあたりの負担が増えるばかりで、超富裕層は国際的な枠組みと税制措置をうまく使って逃げます。かつての堤義明さんとか、最近の孫正義さんとかやその企業が税金をあまり払っていないというのに象徴されています。そういう意味では、まだ消費税のほうが補足しやすいというくらいなのです。

地球環境問題への関心の高まりも、21世紀の特徴です。かつての公害問題のように、汚染物質で直接的に健康被害が出るというのでなく、世界的な規模の温室効果ガスの排出や、長い時間をかけてまわりまわって生命や健康をむしばむ危険にも関心が高まったことはいいことです。

ただ、まだまだ、解明されていないことが多いこともあり、また、環境保護自体が利権のチャンスですから、かなりトンチンカンなこともされているように思われます。

私たちの世代で、女性に不利な制度や偏見を撤廃する動きは大きく前進しました。離婚、妊娠中絶もそうですが、同性愛も欧米では過激に抑圧されていて、私がフランスに留学した80年には、刑法犯として処罰対象でした。しかし、いまや性的マイノリティーであるＬＧＢＴの人たちが、生きづらい状況を解消するのが世界でトレンドです。

私はその流れには賛成ですが、夫婦で子供をつくり育てるのが基本でなくなってもいいのかについては躊躇があるのは当然です。ご先祖たちが命がけで子をつくり、子孫のために環境も社会も資産も残してきた結果、私たちが存在することに感謝すべきです。

また、現世代もそれをバトンタッチする努力はすべきですし、それをしないで、ＳＤＧＳ（持続可能な社会）でもありません。一方、生命科学が進歩し、ＤＮＡすら自由に操作できるようになると、「人間とは何か」まで定義不能なりそうな事態です。

また、ＩＴ技術の進歩で、質問に対してＡＩが対話型で答える「チャットＧＰＴ」は、かなり高度なホワイトカラーの仕事まで奪いそうですし、使用を禁止する国もあり、人間がＡＩに支配される世界の到来が現実に危惧されるようになってきています。

こうした問題は、技術の進歩を後追いするのでも、一時的な風に流されるのでもなく、政治も含めた社会全体で、先回りしてしっかり議論すべきものだと信じます。

あとがき～歴史は各分野の専門家の知識の寄せ集めでなく一人で書くべきだ

『民族と国家の5000年史～文明の盛衰と戦略的思考がわかる』と題する本書は、『最強の日本史100　世界史に燦然と輝く日本の価値』（扶桑社文庫）と対を成しています。

そのもとは、2016年に刊行した『世界と日本がわかる 最強の世界史』、およびその翌年の『日本と世界がわかる 最強の日本史』という扶桑社新書で、それらをかなり改訂したものです。

ただし、単なる改訂新版ではありません。新書版ではコンパクトなわりに内容豊富にするために、あえて、歴史知識のかなり豊富な読者を前提にしましたが、本書では少し分かりやすく説明を足したり、100項目に分けることで計画的に読めるようにしました。

また、ウクライナ問題とかトランプ大統領の登場と退場が典型ですが、最近起きた問題をテーマとして加え、あるいは、それに関連する情報を、他の項目にも加えました。

最近、世界史ブームですが、一人で世界史と日本史を両方とも書いた人はあまりいません。しかし、統一した視点から理解して書かないと全体像は決して描けないと思います。これまで私は、日本、中国、韓国、フランス、イギリス、ドイツ、アメリカの通史を書いて、それなりの評価を頂いてきましたが、集大成として本書を世に問いたいと思います。

日本人にとって日本列島の歴史も大事ですが、稲作を始めた長江流域の農民たちは、私たちの先祖の重要な部分だったと考えられますし、古代ギリシャで展開された文化や思想は私たちの精神に大きな影響を与えています。

シェリーという19世紀のイギリス人詩人は、「私たちはギリシャ人だ」といいましたが、それなら、現代の日本人もギリシャ人といってよいのですし、中国人の多くが、漢や唐の文化を本当に継承しているのは日本ではないかと評価しています。

また、仏教の誕生と発展、コロンブスによる新大陸の発見、アメリカ独立やフランス革命といった出来事も日本史に大きなインパクトを与えました。

一方、近現代の日本は、世界に大きな影響を与えています。近代西洋文明の成果が全人類に普遍的に享受されうるものであることを明治の日本が世界に示し、同様に世界革命でなく経済成長が先進国に追いつくのを可能にすることを戦後日本が世界に示しました。

そのほか、現代中国語のかなり大きい部分が日本語からの外来語ですし、アニメや和食などは世界から広く受け入れられています。私たちはすでに世界史の主役なのです。

ところで、本書では政治外交史に的を絞り、経済や文化は理解を助ける程度に留めていますが、これは、日本という国の行く末をみなさんに考えてもらうというのに最も適しているからだと思ってのことです。

政治家にとって歴史を知るということはもっとも重要な専門的素養だと思います。かつての大政治家はいずれも素晴らしく古今東西の歴史に通じた知識人であり、その多くは素晴らしい歴史的洞察を示した著作をものにしていました。

先進国首脳会議（サミット）が始まったころ議論を主導していたジスカール・デスタン仏大統領やシュミット西独首相など本当に素晴らしいインテリでした。日本でも旧制高校世代の吉田茂、岸信介、福田赳夫、大平正芳、中曽根康弘などはそうでした。

しかし、ポピュリズムの時代になってしまった現在では、サミットの参加メンバーをみても、そういう人はほとんどいません。これでは、情報機関出身のプーチン大統領に歯が立ちそうもありません。本書は政治家、あるいは、政治を語りたい方を第一のターゲットにしています。

一方、文化については、『365日でわかる世界史』（清談社）で世界史上の各分野ベスト100といった形でも詳しく取り上げています。

さらに、日本の歴史学者は近代史も古代史なども、もっぱら日本の過去を否定するのが目的のような人たちが多く、それに引っ張られてしまっています。

また、歴史学者は証拠に基づく確実な文書や遺跡にこだわるのですが、政治家・外交官・官僚などが情勢分析をするときは、噂に至るまで集めて、総合的に評価し、複数の可能性に備えて対策を打ちます。私は歴史家もそうあるべきだと思っています。動機のようなものも、それを重視しすぎると陰謀史観になってしまいますが、重要な考慮要素だと思うのです。

本書の最後に参考文献を挙げたいところですが、世界史を一冊で俯瞰しようというものですから、材料はこれまでの半生のなかで読書し、映像やネットを見て、世界の人々と会話し、外交交渉や調査といった官僚としての実務のなかで経験したすべてが関連しています。

そのすべてを挙げるのは不可能ですが、子供のころいちばん感動したのは、アンドレ・モロワの『アメリカ史』『英国史』『フランス史』という新潮文庫から翻訳が出ていた三部作でいまも愛読書です。『図説ラルース人物百科』（原書房）から出ているシリーズはたいへん気に入っている本ですし、明石書店から出ている世界の教科書のシリーズも、同じ問題をどの国民がどう解釈しているか知るために重宝しています。

そして、拙著のうち、『歴史の定説100の嘘と誤解　世界と日本の常識に挑む』、『アメリカ大統領史100の真実と嘘』（共に扶桑社新書）、『アメリカ歴代大統領の通信簿』（祥伝社黄金文庫）、『愛と欲望のフランス王列伝』（集英社新書）、『365日でわかる世界史　世界200カ国の歴史を「読む事典」』、『365日でわかる日本史　時代・地域・文化、3つの視点で「読む年表」』（共に清談社）、『英国王室と日本人：華麗なるロイヤルファミリーの物語』（八幡和郎・篠塚隆共著・小学館）、『日本人のための日中韓興亡史』、『日本人のための英仏独三国志　世界史の「複雑怪奇なり」が氷解！』（共にさくら舎）を、比較的に新しい本として挙げておきます。

【著者略歴】
八幡和郎（やわた・かずお）
1951年滋賀県生まれ。東京大学法学部卒業。通商産業省（現経済産業省）入省。フランスの国立行政学院（ENA）留学。大臣官房情報管理課長、国土庁長官官房参事官などを歴任後、現在、徳島文理大学大学院教授・国士舘大学客員教授を務め、歴史家・評論家としてテレビなどでも活躍中。著著は『最強の日本史100』（扶桑社文庫）、『歴史の定説100の嘘と誤解世界と日本の常識に挑む』（扶桑社新書）、『365日でわかる世界史』『365日でわかる日本史』（清談社Publico）、『日本の総理大臣大全 伊藤博文から岸田文雄まで101代で学ぶ近現代史』（プレジデント社）、『日本人のための日中韓興亡史』『日本人のための英仏独三国志』（さくら舎）、『令和日本史記126代の天皇と日本人の歩み』（ワニブックス）、『英国王室と日本人：華麗なるロイヤルファミリーの物語』（共著：小学館）ほか、日本史、西洋史、東洋史から政治、経済、文化など多岐にわたる。

民族と国家の5000年史
文明の盛衰と戦略的思考がわかる

発行日　2023年5月30日　初版第1刷発行

著　者　八幡和郎
発行者　小池英彦
発行所　株式会社　育鵬社
〒105-0023　東京都港区芝浦1-1-1　浜松町ビルディング
電話03-6368-8899（編集）　http://www.ikuhosha.co.jp/
株式会社　扶桑社
〒105-8070　東京都港区芝浦1-1-1　浜松町ビルディング
電話03-6368-8891（郵便室）
発　売　株式会社　扶桑社
〒105-8070　東京都港区芝浦1-1-1　浜松町ビルディング
（電話番号は同上）
本文組版　株式会社　明昌堂
印刷・製本　タイヘイ株式会社印刷事業部

ISBN 978-4-594-09446-1

本書のご感想を育鵬社宛てにお手紙、Eメールでお寄せください。
Eメールアドレス　info@ikuhosha.co.jp